Claire Favan vit à Paris. Son premier roman, *Le Tueur intime* (Les Nouveaux Auteurs, 2010), a remporté le Grand Prix *VSD* du polar 2010, le Prix Sang pour Sang POLAR 2011 et la Plume d'or catégorie Nouvelle Plume en 2014. Depuis, elle a publié *Le Tueur de l'ombre* (Les Nouveaux Auteurs, 2011), *Apnée noire* (Éditions du Toucan, 2014), *Miettes de sang* (Éditions du Toucan, 2015). *Serre-moi fort* (2016), *Dompteur d'anges* (2017) et *Inexorable* (2018) ont paru chez Robert Laffont dans la collection « La Bête noire ».

INEXORABLE

DU MÊME AUTEUR
CHEZ POCKET

LE TUEUR DE L'OMBRE
APNÉE NOIRE
MIETTES DE SANG
SERRE-MOI FORT
DOMPTEUR D'ANGES
INEXORABLE

CLAIRE FAVAN

INEXORABLE

Préface de Gabriel Favan

Pocket, une marque d'Univers Poche,
est un éditeur qui s'engage pour la préservation
de l'environnement et qui utilise du papier fabriqué
à partir de bois provenant de forêts gérées
de manière responsable.

ISBN 978-2-266-29218-4
Dépôt légal : octobre 2019

Ce livre est dédié à tous les parents
qui reconnaîtront leur lutte quotidienne
au travers de ces pages.

À mon père, André, soutien indéfectible,
qui veille avec fierté sur sa fille,
tout en gardant toujours à l'esprit
le sens des réalités.

Préface

La différence, c'est mon ami qui se fait insulter au collège et qui parle de se suicider à cause de sa dyslexie. C'est ma cousine qui ne sait ni lire, ni écrire, ni compter à quinze ans à cause de ce même handicap et les élèves qui se moquent d'elle et la harcèlent. C'est un petit garçon précoce qui se retrouve seul à la récré parce que personne ne veut jouer avec lui et qui rêve la nuit d'être invité comme les autres à une fête d'anniversaire. Ce sont des enfants qui se font humilier, frapper et mettre à l'écart à cause de leur handicap. C'est être obligé de changer d'école parce que personne ne trouve de solution pour nous intégrer là où nous sommes.

Pour moi, la différence, c'est lorsque même quand je n'avais rien fait, c'est toujours moi qu'on punissait. Et plus ils agissaient ainsi et plus je perdais le contrôle, et plus je leur donnais raison de le faire.

Je trouve dommage que les personnes qui ont des handicaps visibles ou, comme le mien, invisibles sauf au niveau du comportement soient aussi mal traitées et accueillies au sein de l'école. C'est comme si on subissait une double punition : notre état pas forcément toujours facile à gérer, et le poids malsain et cruel du regard des autres. Une fois qu'ils vous ont pris en grippe, plus rien ne peut changer. On est pris au piège.

Ce livre est inspiré d'une partie de ma vie et j'espère qu'il permettra à quelques personnes « normales » d'ouvrir les yeux et de mieux se comporter avec les personnes différentes.

J'espère qu'un jour l'école pourra accueillir les enfants handicapés comme ils le méritent et sans qu'ils se retrouvent à l'écart, harcelés, moqués, brisés ou poussés à l'échec.

Mes parents ont fait beaucoup de choses pour me soutenir, pour m'aider et m'encourager à surmonter ma peur. Ils ont toujours été à mes côtés pour que je trouve ma place. Même dans les pires moments, ils n'ont jamais cessé de m'aimer.

Aujourd'hui, j'ai douze ans et demi et ça va mieux. Je sens que demain, je pourrai avoir une vie normale. Une vie comme j'en souhaite à tous ceux qui ont eu un aussi mauvais départ que moi.

Gabriel FAVAN

INNOCENCE

2004

— Milo ! Il est l'heure d'aller dormir.

— Pas tout de suite, maman ! C'est vendredi !

— Comment ça, « pas tout de suite » ? insiste Alexandra avec un sourire attendri.

Assis aux pieds de Victor, plus absorbé par le journal de vingt heures que par la lumière extatique qui illumine le visage de son fils dès qu'il est à la maison, Milo suit chacun de ses gestes avec vénération.

Victor a été militaire pendant des années. Affecté dans les pays en guerre les plus dangereux de la planète, il n'a pour ainsi dire pas vu son fils grandir. Depuis qu'il a été renvoyé de l'armée pour problèmes disciplinaires, il essaie de ramener de l'argent à la maison comme il le peut. Alexandra ne connaît pas les détails de ses activités, à part qu'elles tiennent son homme éloigné d'eux pendant de très longues périodes.

— Je veux rester avec papa.

Victor jette un coup d'œil amusé sur son fils.

— Va te brosser les dents, mon lapin. Je viendrai te faire un bisou dans ton lit.

Alexandra ne perçoit pas de différences significatives entre la formulation de Victor et la sienne, pourtant, Milo se lève.

Son regard dubitatif la trahit et Victor éclate de rire.

— Ne fais pas cette tête ! Il sait que j'ai beaucoup moins de patience que toi…

Quand elle arrive dans le couloir, Milo sort comme un boulet de canon de la salle de bains et court jusqu'à son lit en criant.

— Papa ! Tu peux venir !

Discrètement, elle vérifie que la brosse à dents est bien mouillée avant de le rejoindre.

— Une seconde…, répond Victor d'un ton préoccupé.

Alexandra soupire. Une seconde chez lui, ça veut dire qu'il a trouvé plus intéressant à faire que de venir embrasser son fils. Elle se penche vers Milo, prête à lui caresser les cheveux.

— Bonne nuit, mon cœur.

Il repousse sa main.

— Non ! C'est papa que je veux.

Avec une moue triste, elle hoche la tête. À chaque fois que Victor fait une apparition dans leurs vies, c'est la même chose. Il n'y en a plus que pour lui. Comme si les rares moments qu'il leur accorde avaient davantage de valeur aux yeux de Milo que la présence quotidienne, protectrice et aimante de sa mère.

— Papa est occupé. Il viendra plus tard.

Milo regarde derrière elle, vers le couloir.

— Papa ?

— Une minute…

L'agacement de Victor est perceptible, même pour un enfant de quatre ans. Le visage de Milo se ferme.

Ses lèvres se mettent à trembler. Blessé et déçu, il s'enfouit sous la couette.

— Bonne nuit, mon grand, soupire Alexandra.

— Hum…

Victor a voulu ce gosse ! Pourtant, elle l'assume seule, en faisant avec son boulot, le temps qu'il faut pour s'y rendre, et l'argent qui rentre au compte-gouttes de son côté à lui.

Quand elle revient dans le salon, elle débarrasse la table avec des gestes énervés en se demandant à quel moment Victor va lâcher la télé pour aller embrasser son fils. Soudain, elle ne peut plus se contenir.

— Milo t'a…

Il se lève et jette la télécommande sur la table après avoir éteint la télé.

— J'y vais !

Il disparaît dans le couloir. Dépitée par la tournure de cette soirée qui s'annonçait si prometteuse, elle termine de nettoyer la table au son des éclats de rire de son fils. Elle a fini de remplir le lave-vaisselle quand Victor la rejoint. Il tente de la prendre par la taille, mais elle résiste à l'attraction de ses mains puissantes.

— Tu fais la tête, ma puce ?

Oui, mais elle est assez lucide pour reconnaître qu'elle s'est agacée toute seule.

— Non. Je suis un peu fatiguée, c'est tout.

Il se place derrière elle et pose ses mains sur ses épaules pour la masser.

— Je connais un bon moyen pour te détendre…

Victor ne se montre jamais aussi charmant que quand l'heure de baiser approche. Il l'attire contre lui et ses lèvres se glissent dans son cou. Comme il sent qu'elle ne réagit pas, il lui lance un regard irrésistible.

— Alexandra…

De ses années passées dans l'armée, Victor a conservé une silhouette athlétique et une aura ténébreuse. Il est grand, musclé, indéniablement beau et charismatique. Elle s'étonne encore qu'il l'ait choisie alors que toutes les nanas lui couraient après quand il était jeune. Ils ont commencé à sortir ensemble à quinze ans, se sont mariés dix ans plus tard, ont acheté cette charmante petite maison en banlieue et ont eu leur fils trois ans après.

Elle l'aime toujours, mais après sept ans de mariage en dents de scie, l'éloignement et les doutes récurrents sur son implication réelle dans leur famille ont quelque peu noirci le tableau. Pourtant, ils sont toujours ensemble et ses lèvres qui cherchent les siennes avec habileté et détermination lui laissent entendre qu'elle lui a réellement manqué.

Est-elle prête à se contenter de si peu et à tout pardonner, juste pour le plaisir de sa compagnie quelques jours par an ? Le sens et les conséquences d'une réponse négative à sa question la terrifient. Elle cesse donc de réfléchir et lâche prise.

Milo a les yeux ouverts et fixe son plafond étoilé phosphorescent. Papa est venu le voir. Il lui a raconté une histoire, il l'a chatouillé, lui a fait des bisous. Son cœur de petit garçon est comblé. Il l'aime plus que tout.

Plus que maman ? lui souffle une petite voix. Non ! Bien sûr que non. Mais maman est toujours là et le sera toujours. Maman est le repère fixe dans son existence d'enfant.

Papa est si souvent absent que sa présence a la saveur des choses rares comme les cadeaux de Noël ou d'anniversaire. Quand il rentre à la maison, Milo ne voit plus que lui. Il est alors assailli d'envies et de besoins qui n'existent pas quand il est seul avec maman.

D'ailleurs, Milo voulait demander à son père de lui apprendre à faire du vélo sans roulettes. Il hésite à se relever. Ça serait dommage de se faire gronder.

Il le fera demain. Oui. Demain…

Milo ferme les yeux et s'endort le sourire aux lèvres. Ses rêves sont peuplés de projets, de jeux, de rires, d'exploits sur son vélo, d'amour et de fierté.

Et de bruits.

Milo se réveille en sursaut alors qu'un choc monstrueux ébranle toute la maison. Le cœur battant, il s'assoit dans son lit.

— Papa ? appelle-t-il d'une voix chevrotante.

Il entend des pas rapides, un cône de lumière balaie le sol devant sa chambre. Le soulagement déferle en lui : papa arrive !

La porte s'ouvre à la volée et va rebondir contre le mur. Milo hurle d'effroi en voyant un inconnu cagoulé entrer, un pistolet braqué sur lui. L'homme se plaque contre le mur et observe rapidement l'intérieur de la pièce avant d'annoncer que l'endroit est sûr. Il s'avance vers Milo et le prend dans ses bras pour l'entraîner hors de sa chambre.

— Viens, bonhomme. Ne t'inquiète pas.

Paralysé par la terreur, Milo ne lutte même pas. Ils sortent dans le couloir. En passant devant la chambre de ses parents, Milo aperçoit maman, recroquevillée dans un coin. Papa, tout nu, est allongé à plat ventre sur le sol et entouré de plusieurs hommes qui braquent leurs armes sur lui en criant des ordres.

D'un seul coup, Milo réagit et se débat.

— Papa ! Papa ! hurle-t-il en tendant la main vers lui.

Maman relève la tête et fait mine de se redresser, mais un des hommes la repousse d'un geste nerveux.

— Bouge pas ! lui hurle-t-il.

Elle retombe en arrière, sa chemise de nuit laissant voir le haut de ses cuisses. Elle la remet en place d'un geste pudique.

— Maman ! Je veux ma maman ! sanglote le gosse.

— Laissez-moi aller rassurer mon fils ! Je vous en prie ! Vous l'effrayez !

Quelques secondes plus tard, un gars vêtu d'un blouson en cuir marron la mène jusqu'à un Milo inconsolable.

— Mon bébé !

L'homme qui le tenait jusqu'à présent le rend à sa mère. Milo se réfugie dans ses bras et cache son visage dans son cou. Maman s'assoit sur le canapé et le serre très fort contre elle jusqu'à ce que leurs tremblements s'apaisent.

— Que se passe-t-il ? demande-t-elle d'une voix remplie d'angoisse au type qui est resté près d'elle.

— Nous sommes là pour arrêter votre mari, madame Léman.

— Victor ? Vous devez faire erreur ! De quoi est-il accusé ?

— Il…

Un groupe de policiers fait irruption dans le salon. Ils entourent un Victor menotté. Il a pu enfiler un pantalon de jogging et un tee-shirt. Alexandra remarque immédiatement que son visage sombre porte l'empreinte de la fatalité et non celle de l'injustice.

— Victor !

Il tourne la tête vers elle.

— Alexandra, appelle maître Florent Courrège. Il est à Paris.

— Mais Victor…, plaide une Alexandra atterrée par la scène.

— Appelle-le immédiatement !

La voix impérieuse de son père fait réagir Milo. Il relève la tête et voit Victor perdre l'équilibre en tentant de se débattre. Les hommes le traînent sur le sol en lui hurlant des menaces, en renversant les meubles pour le maîtriser. Un guéridon tombe et le vase de grand-mère posé dessus se brise en touchant le sol.

Milo pousse un rugissement de bête alors que la colère envahit son petit corps d'enfant. Il se dégage des bras de sa mère et se précipite vers ceux qui veulent lui prendre son père.

Il s'agrippe au premier qui passe à sa portée. Il le tape et tente de le mordre à travers son pantalon. Le type n'a qu'à agiter sa jambe pour lui faire lâcher prise. Pourtant, Milo n'abandonne pas. Il s'avance poings en avant et frappe de toutes ses forces en touchant, sans vraiment avoir visé, un point sensible. Le gars pousse un juron étouffé et recule de plusieurs pas. Un autre policier arrive en renfort pour maîtriser ce petit démon en le tenant à bout de bras.

— Calme-toi, gamin !

Milo combat le vide entre eux de toutes ses forces.

— Ça suffit, tu entends ! crie le flic en le secouant.

Victor lui donne un coup d'épaule.

— Lâche mon fils ! Enculé !

Père de famille lui aussi, il dévisage Victor.

— Dis-lui de se tenir tranquille et je le rendrai à sa mère.

Cette offre, Victor ne peut pas la refuser. Il baisse la tête.

— Mon lapin, calme-toi.

Le petit hurle comme un possédé.

— Arrête, Milo ! exige-t-il.

Le gosse cesse immédiatement de bouger. Le policier le tend à Alexandra qui le récupère.

Ses collègues se saisissent à nouveau de Victor pour le sortir de la maison. Milo pousse un dernier hurlement enragé. Il veut se dégager de l'étreinte d'Alexandra. Préparée, cette fois, elle résiste. Il lui attrape les cheveux et tire dessus de toutes ses forces. Ils hurlent, elle de douleur et lui de rage.

— Papa ! Papa !

Alexandra les voit sortir de la maison. Épuisée par cette lutte, elle tombe à genoux, tout en serrant convulsivement le corps de son fils contre elle. Rouge, brûlant et couvert de transpiration, Milo gémit encore alors que sa tête ballotte mollement de droite à gauche comme s'il allait perdre conscience.

— Papa… papa…

— Maître, je ne comprends pas ce qui a pu arriver. Il ne peut s'agir que d'une erreur… Victor… est… un homme bien…

Ses sanglots font trembler sa voix.

À l'autre bout du fil, l'avocat soupire. Ce n'est pas à lui de briser les illusions de cette pauvre fille, n'est-ce pas ?

Il comprend que le choc soit rude après avoir vu des flics armés jusqu'aux dents débouler chez elle en force pour arrêter son mari qu'elle prenait pour un agneau. Doit-il éclairer sa lanterne et lui annoncer que Victor Léman n'a rien d'un saint, bien au contraire ?

Avec cynisme, il a envie de lui dire que la preuve la plus évidente de la culpabilité de Victor, c'est que ce soit lui son avocat ! Le nom de Courrège ne circule que dans certains milieux, ceux dans lesquels le mot *innocence* n'a jamais été qu'un vague concept.

Florent Courrège s'est en effet spécialisé au fil des ans et des opportunités faciles auxquelles il n'a pas su dire non, puis auxquelles il n'a plus pu s'opposer, dans la défense des membres de la pègre et du crime organisé. Le boss de Victor Léman, un de ses meilleurs clients au demeurant, chapeaute une de ces organisations.

— Je ne pense pas que les policiers procéderaient à une arrestation sans avoir de preuves solides contre votre époux, avance-t-il avec diplomatie.

Certes, c'est l'antenne de la PJ d'Évry qui a procédé à l'arrestation de Victor, puisqu'il était rentré chez lui, à Lomigny-sur-Antelle, mais l'affaire à des ramifications internationales. Sauf erreur de sa part, cela doit avoir un rapport avec la récente série de braquages de bijouteries dont tous les médias parlent. C'est dans cette spécialité que Léman excelle. Florent Courrège se demande brièvement quelle bourde il a pu commettre pour se faire pincer aussi connement, à poil au saut du lit.

— Ils n'ont rien voulu nous dire. De quoi Victor est-il accusé au juste ? demande la jeune femme.

— Dès que j'en saurai plus, je vous tiendrai au courant, madame Léman.

Il sent sa panique à travers le téléphone.

— Je… combien cela va-t-il coûter ?

Il l'imagine déjà en train d'estimer la valeur de la maison qu'elle habite et les biens qu'elle renferme pour payer ses honoraires faramineux.

— Ne vous inquiétez pas pour ça, madame Léman.

C'est le chef du gang pour lequel bosse Victor qui va régler la note, s'il ne dénonce personne, évidemment. Ainsi, Victor restera à jamais son débiteur, le genre de dette qu'on ne peut rembourser qu'en se compromettant toujours plus.

Un bip signalant un double appel retentit fort à propos. Anton Pavelitch, le fameux gros client, tente de le joindre, probablement pour comprendre comment son homme de main a pu se retrouver dans cette situation.

— Je m'occupe de tout et je vous recontacte dès que j'ai du nouveau, madame Léman. Pour le moment, je dois vous laisser.

Sans attendre, il raccroche.

Alexandra regarde son portable avec incrédulité puis le décor rassurant de son salon, les murs couverts de papier peint blanc, anis et marron glacé, le canapé vert et les coussins assortis, les meubles blancs choisis avec soin. Décor dans lequel elle se sent soudain étrangère. Elle a l'impression d'avoir basculé dans une autre dimension. Les réponses laconiques et ambiguës de Courrège lui font craindre le pire.

Abattue, elle ferme les yeux un instant. À côté d'elle, Milo lui secoue le bras.

— Papa va rentrer quand ?

Elle lui lance un regard las.

— Je… je n'en sais rien.

Elle devrait sans doute masquer ses doutes, mais la conversation avec l'avocat l'a perturbée. N'a-t-il pas sous-entendu que Victor était coupable ?

Dans quoi a-t-il été se fourrer ? Elle soupire. Elle pense garde à vue, magistrat, procès… Tous ces mots que le commun des mortels n'a entendus qu'en regardant des séries télé et qui risquent de devenir leur quotidien.

— Maman ? Tu m'écoutes ? s'impatiente Milo. Je veux voir papa.

— Ça n'est pas possible, mon cœur. Papa a été arrêté parce que…, elle déglutit avant de poursuivre, les policiers pensent qu'il a fait quelque chose de mal.

Le visage de Milo se plisse sous l'effet d'une rage terrible.

— Tu dis n'importe quoi !

Il la pousse avec violence en quittant le canapé. Elle tend la main vers lui.

— Milo ! J'essaie juste de t'expliquer que papa ne va pas rentrer à la maison tout de suite.

— T'es nulle ! hurle-t-il.

Il part en courant dans sa chambre dont il claque la porte. Même si elle comprend sa souffrance, elle refuse d'être son punching-ball. Elle non plus n'a pas demandé ce qui leur arrive.

— Milo ! Reviens ici, tout de suite !

Elle se lève pour aller le rejoindre et exiger des excuses, mais un coup frappé à la porte la coupe dans son élan. Elle va ouvrir.

— Je suis désolé de ne pas être venu plus tôt. J'étais en service cette nuit et je viens juste d'apprendre ce qui est arrivé…

— Franck !

Son ami la serre dans ses bras. Franck Scalion habite la maison voisine de la sienne dans ce petit quartier pavillonnaire de Lomigny-sur-Antelle. Depuis que Victor est devenu quasi transparent, c'est lui qui accomplit la plupart des tâches qui excèdent les capacités d'Alexandra : jardinage, bricolage, mécanique… Il veille sur elle avec beaucoup de gentillesse et de dévouement.

Franck est un beau mec : grand, baraqué, viril… Elle se demande souvent pourquoi il est toujours célibataire et comment il a fait pour passer entre les mailles du filet de toutes les nanas qui lui tournent autour.

Il s'écarte d'elle pour observer son visage marqué.

— Comment vas-tu ? demande-t-il avec sollicitude.

— Je n'y comprends rien. Victor a été arrêté…

Il approuve d'un air entendu. Franck est policier. Elle ne lui apprend donc rien, comme il le lui a annoncé en arrivant.

Gênée, elle se mord les lèvres. Pourtant, elle craque.

— Est-ce que tu sais ce qui se passe ?

Il la guide jusqu'au canapé sur lequel il la fait asseoir.

— J'ai l'impression que Victor trempe dans quelque chose de grave. De très grave…

Alexandra plaque sa main sur sa bouche.

— Grave à quel point ?

— C'est une affaire de grand banditisme qui remonte jusqu'à Interpol.

Les mots *Victor* et *Interpol* placés dans la même phrase n'ont aucun sens pour elle.

— Interpol ? Ce n'est pas la police internationale ?

— Si. Ils ont émis une notice rouge pour lui.

— Une notice rouge…

— Ça veut dire qu'il est recherché dans plusieurs pays.

AGITATIONS
2004

Alexandra lâche la main de Milo. Sonné, il reste immobile au milieu de la cour de récréation, face au bâtiment peint avec des teintes pastel, censées incarner l'esprit juvénile de ses occupants. Elle constate avec tristesse que son fils et elle semblent aussi perdus l'un que l'autre.

Après ce week-end improbable et irréel durant lequel ils sont restés enfermés de peur de croiser des voisins, le réveil du lundi matin a été dur. Ils ont quitté la maison, traversé les deux rues du lotissement et rejoint le groupe scolaire Marie-Curie dans un état second.

Doit-elle prévenir quelqu'un que la scène à laquelle Milo a assisté l'a profondément traumatisé ? Son fils fait de terribles cauchemars depuis l'arrestation musclée de Victor. Il se réveille en hurlant, en pleurant et en réclamant son père. Rien ne le console. Rien ni personne.

Son cœur se serre. Si elle tenait Victor à cet instant précis, elle lui ferait bouffer ses couilles par les yeux pour avoir provoqué ça ! Elle lui en foutrait des notices rouges ! Salopard !

Elle expire pour se calmer et adresse un sourire triste à son fils.

— On va poser tes affaires devant ta classe. Tu veux bien ?

Il lève la tête vers elle. Elle est frappée par son regard hanté qui n'a plus rien de commun avec celui de ses camarades du même âge. D'une démarche mécanique, il s'éloigne pour aller accrocher son petit sac à dos sur son portemanteau.

Elle tente de se rassurer. Son père a été molesté sous ses yeux il y a à peine trois nuits de cela. Il n'a probablement pas encore absorbé le choc, mais il va finir par intégrer ces images et apprendre à vivre avec. Milo est un petit gars solide et équilibré, déjà habitué à ne presque pas voir son père.

Ils se sont bâti une belle vie tous les deux, pleine de rires, de joie et de complicité. Il s'en souviendra à un moment. Et elle sera là quand il émergera.

Elle le rejoint et tend la main pour lui caresser la joue comme elle le fait chaque matin. Il s'écarte.

— Non.

Les larmes aux yeux, elle se penche vers lui.

— Je ne suis pour rien dans ce qui vient d'arriver à ton père. S'il a commis une erreur, ne m'en veux pas à moi !

Sans répondre, il lui tourne le dos et la laisse l'esprit vide et dévasté par son rejet. Heureusement pour elle, le parcours du combattant d'une mère de famille monoparentale et banlieusarde travaillant à Paris la ramène vite à la réalité. Elle doit prendre le bus de 8 h 05 pour espérer avoir le RER de 8 h 20 qui lui permettra d'arriver à neuf heures tapantes à son travail. Du moins, s'il n'y a pas trop de feuilles sur les voies, d'andouille pour se suicider ou de soucis techniques divers et variés allant d'un signal défectueux jusqu'à l'improbable problème d'acheminement du personnel.

Elle vérifie l'heure sur sa montre. Ça va être juste.

Milo la regarde s'éloigner en courant. Pourquoi elle ne lui adresse pas un signe de la main comme elle le fait d'habitude ? Bien sûr, il n'a pas été gentil avec elle, mais il souffre tellement qu'elle devrait comprendre sa réaction. Ce n'était pas contre elle. Une maman, ça devrait le deviner, pas vrai ?

Malheureux comme les pierres, il s'assoit par terre. Il se sent tout creux. Le petit garçon heureux qu'il était quelques jours plus tôt a été remplacé par autre chose. Une créature qui hurle de fureur en permanence dans sa tête et qui réclame son père.

Il pose son front sur ses genoux. La douleur grossit. Il ne pense plus qu'à ces policiers qui ont pris son papa pour l'emmener loin de lui.

Il regrette de ne pas avoir réussi à blesser l'homme qu'il a attaqué cette nuit-là. Oui. Il le regrette. Une larme roule sur la joue de Milo.

— Qu'est-ce qui t'arrive, mon bonhomme ? Tu es tombé ?

Il relève les yeux vers Mélanie. Il l'aime bien en temps normal, mais là, il a envie de lui faire mal, juste pour qu'elle comprenne ce qu'il vit. Il essuie sa joue.

— Oui, mais ça va mieux.

— Ne reste pas tout seul. Tu devrais aller jouer avec les autres.

Il obéit machinalement. Armelle, Fabio et Arnaud lui sourient lorsqu'il les rejoint. Hésitant, il participe à leurs activités. Pourtant, plus la journée passe, plus il se rend compte qu'il y a un truc qui ne va pas.

On dirait qu'il n'a plus rien à voir avec eux. Quelque chose de précieux s'est cassé en lui et son regard s'est brutalement ouvert sur un monde qu'il n'aurait pas dû percevoir avant des années. Alors, à quoi bon courir après une balle pour l'attraper, faire un puzzle, découper des cartons et les colorier pour fabriquer des masques quand la vraie vie attend, tapie dans l'ombre, de pouvoir briser votre cœur ?

Comme il aimerait que les murs de la prison où papa est enfermé soient en papier. Il les déchiquetterait avec plaisir. Il le prendrait ensuite au creux de sa main pour le mettre en sécurité, loin d'eux.

Des murs en papier… Papa en sécurité…

Son impuissance lui serre la gorge. La colère monte.

Kevin arrive près de lui et s'empare de la petite voiture qu'il a lâchée pendant qu'il ressassait.

On lui prend son père, sa voiture ? Et puis quoi d'autre, encore ?

Milo serre son poing et tape de toutes ses forces la joue de Kevin qui se met immédiatement à pleurer. Trop facile ! Milo attrape sa main pour la mordre. Il veut lui faire ouvrir les doigts pour l'obliger à lâcher son père.

Alertée par les hurlements de douleur de Kevin, Mélanie arrive en courant. Elle tire Milo en arrière pour lui faire lâcher prise. Il se retourne et frappe au hasard. Pour tenter de l'apaiser, elle le serre contre elle, l'emprisonnant dans une étreinte qui l'étouffe.

Milo a l'impression d'être son père. Il se met à hurler et à se débattre comme papa l'a fait avec les policiers. Mélanie est surprise lorsqu'il lui met un coup de tête dans le nez. Elle est sonnée, pourtant elle tient bon jusqu'à ce que la crise de Milo ait déchargé son trop-plein d'émotions. Il retombe presque inerte dans les bras de l'animatrice.

— J'ai dû envoyer l'animatrice qu'il a frappée chez le médecin et faire un rapport d'accident. Sans parler de ce qu'il a fait à Kevin. Des coups et une morsure, vous vous rendez compte ?

Alexandra approuve, les joues rouges de confusion. Elle n'avait vraiment pas besoin de cette remontée de bretelles en plus de sa journée éprouvante.

Comme elle n'avait pas la tête à son travail aujourd'hui, elle a commis deux boulettes que son chef s'est empressé de remarquer. Il faut bien qu'il soit compétent dans un domaine…

Ce soir, son RER a été supprimé et le suivant n'avançait pas, ce qui l'a mise en retard. Résultat : il est presque 18 h 50.

Qui travaillant à plein temps à Paris pourrait être devant les portes de cette école de banlieue à huit heures trente puis à seize heures trente ? Même en ayant fait une croix sur sa carrière professionnelle et en acceptant de rester cantonnée à des tâches subalternes sous-payées, Alexandra inflige des journées de dix heures à son fils. Pour respecter ses horaires : 8 h-18 h, cinq jours par semaine !

— Je suis désolée. Nous avons passé un très mauvais week-end, tente-t-elle de se justifier.

La responsable de la garderie, Mathilde, lui lance un regard mauvais qui semble lui déconseiller de poursuivre sur cette voie ; genre : tu penses vraiment que tu peux me battre au jeu du pire week-end ? Alexandra referme la bouche, même si elle pense que sur ce coup-là, elle aurait gagné haut la main.

— Je vais parler à Milo. Je vous l'assure.

— Très bien. Milo ne nous a pas habitués à un tel comportement, j'espère que ça n'est qu'un incident. Je compte d'ailleurs sur vous pour que ça ne se reproduise plus.

Alexandra ploie sous le ton menaçant de l'animatrice.

— Encore toutes mes excuses.

Elle aussi espère que la colère de Milo sera temporaire.

L'animatrice se détourne d'Alexandra pour envoyer un sourire resplendissant à la jeune maman enceinte qui vient de passer la porte.

— Éva va être ravie de vous voir ! gazouille-t-elle.

Congédiée, les épaules basses, Alexandra part rejoindre son petit garçon. Il est assis sur un banc, seul. Son regard vide amplifie la sensation de désespoir plaquée sur ses traits torturés. Le cœur d'Alexandra se serre.

— Je suis là, Milo.

Il la regarde. Sans un mot, il se lève pour aller chercher son sac à dos. Ils sortent de l'école. Sur le trottoir, il marche près d'elle.

— Tu veux qu'on parle de ce qui s'est passé aujourd'hui ? propose-t-elle.

— Il a pris mon jouet, tente-t-il.

— Ta réaction est un peu exagérée, tu ne penses pas ?

Un peu apeuré à l'idée de se faire gronder, il hausse les épaules.

— Il y avait des tas d'autres façons de lui faire comprendre que tu n'étais pas content. Tu ne crois pas ? insiste Alexandra.

À présent, il sait qu'il a mal agi, mais tout à l'heure…

Comment un petit garçon de quatre ans pourrait-il expliquer cette colère aveuglante, cette bouffée de rage qu'il a ressentie ? Il est incapable de l'analyser, comme il a été incapable de la prévoir et de la maîtriser.

— Si, maman.

— Je sais que rien n'est simple en ce moment, mais ça va s'arranger, Milo. Tu verras. En attendant, sois sage à l'école, s'il te plaît.

— D'accord.

Elle lui caresse les cheveux.

— On va…

La sonnerie de son téléphone la coupe dans son élan. Elle décroche.

— Allô ?

— Madame Léman ? Maître Courrège à l'appareil.

Elle jette un coup d'œil vers Milo. Son silence gêné alerte l'avocat.

— Vous voulez que je vous rappelle plus tard ?

— Non ! Dites-moi ce que vous avez pu apprendre. S'il vous plaît.

Elle l'entend farfouiller dans ses papiers.

— La garde à vue de votre époux est terminée.

— Il va rentrer alors ? demande Alexandra avec espoir.

— Non. Il a été mis en détention provisoire à Fleury-Mérogis.

Fleury-Mérogis ? Elle passe devant les panneaux à chaque fois qu'elle se rend dans l'immense zone commerciale à quelques kilomètres de là. Voilà à peu près tout ce qu'elle connaît de cette célèbre prison.

— En détention provisoire ? répète-t-elle d'un ton hésitant.

— Pour faire court, Victor a été dénoncé.

— Par qui ?

— Une femme..., soupire Florent Courrège, sa maîtresse, pour être précis.

— Oh !

Entre se demander pourquoi Victor passe aussi peu de temps avec eux et apprendre la vérité aussi brutalement, il y a un fossé. Alexandra a l'impression que son cœur se met à pomper de l'acide dans ses veines.

L'avocat lui laisse quelques secondes pour absorber le choc.

— Cette femme dispose apparemment de preuves solides contre votre époux, suffisamment en tout cas pour le faire plonger. Les policiers doivent donc craindre qu'il donne le nom de ce témoin à ses complices ou qu'il quitte le pays pour échapper à la justice. Par conséquent, toutes les conditions sont requises pour qu'il ne ressorte pas de prison jusqu'à la date de son procès.

Florent attend une réaction, mais le silence s'éternise entre eux.

— Vous m'avez entendu, madame Léman ?

— Qui est-elle ?

Florent a presque envie de rire en entendant sa question si décalée et prévisible à la fois.

— Son nom a été tenu secret. Je n'en sais pas plus pour le moment. Je suis désolé.

Il marque une petite pause.

— Je peux me charger de vous obtenir un droit de visite, si vous le souhaitez. Le juge d'instruction peut le refuser compte tenu de ce qui est reproché à votre mari, mais…

Alexandra secoue la tête avant de réaliser que l'avocat n'a pas vu son geste.

— Non. C'est inutile. Merci.

L'avocat reste silencieux quelques secondes.

— Vous êtes sûre ?

— Oui.

— Bien.

Elle raccroche, le cœur au bord des lèvres.

— Ça va, maman ?

Non, ça ne va pas du tout. Elle a mal à en crever, mais protéger Milo passe avant la déception, la trahison, la colère, la honte… Elle affiche un sourire de façade.

— Oui, ça va. Si tu me promets d'être sage demain, je peux même te proposer d'aller chercher à manger au McDo.

— Génial ! Oui !

Le sourire de son fils lui donne un coup de fouet. Elle doit tenir jusqu'à ce que Milo dorme. Un pas après l'autre, elle se répète en boucle de ne pas s'effondrer, de retenir ses larmes. Juste tenir bon.

— J'aimerais que nous fassions le point, madame Léman. Milo était un enfant charmant, pourtant depuis quelque temps son comportement s'est dégradé de façon alarmante. S'est-il passé quelque chose qui nous permettrait de comprendre ce qui lui arrive ?

Alexandra a dû demander une autorisation spéciale pour arriver plus tard au travail parce que la maîtresse et la directrice de l'école maternelle de Milo ont exigé de la rencontrer.

Ses mains s'agitent nerveusement. Doit-elle leur faire confiance ? Peuvent-elles l'aider à rassurer Milo, là où, confrontée à ses propres tourments, elle échoue lamentablement ?

— Mon mari… le père de Milo…

— Il n'est pas très souvent à la maison, n'est-ce pas ? l'interrompt Lisa, l'institutrice.

C'est le moins qu'on puisse dire…

Alexandra serre les dents en imaginant les mains de Victor sur la peau d'une autre.

Comment a-t-elle pu être assez conne pour ne rien voir venir ? Elle aurait dû comprendre que ses activités étaient illicites rien qu'en le voyant revenir avec des montres hors de prix et des fringues de marque alors qu'il ne ramenait que quelques centaines d'euros pour leur famille.

Elle aurait peut-être dû discuter avec lui au lieu de jouer les épouses dociles et accommodantes. S'ils avaient parlé, elle aurait pu le dissuader de tremper dans des affaires louches. Elle aurait peut-être pu le convaincre de rester avec eux. Elle aurait dû être moins tolérante, plus…

— Hum… Madame Léman ?

Alexandra prend une inspiration.

— Non. Effectivement. Et il va encore moins l'être dans un avenir proche.

La directrice, Mme Farault, lui lance un regard chargé de compassion.

— Il a eu un accident ?

Alexandra secoue la tête.

— Non. Mon mari est en…

Les larmes lui montent aux yeux. Elle sort un mouchoir. Elle s'exhorte à prononcer ces mots.

— Il est en prison.

Le visage de ses deux interlocutrices se tord sous l'effet de la surprise et de la gêne. Malade, mort, dans le coma… ça sonne bien, c'est acceptable comme motif pour expliquer la violence soudaine de Milo.

— En prison ? répète la directrice avec une moue de dégoût.

Alexandra entend une alarme retentir sous son crâne, comme si confier son secret était une erreur monumentale. Pourtant, elle poursuit avec une boule d'angoisse chevillée dans le ventre.

— Oui. Il a été arrêté en pleine nuit, à la maison. Milo a assisté à la scène. Il est encore très traumatisé par la violence des policiers à l'égard de son père. Il fait des cauchemars dont il se réveille en hurlant et en le réclamant. Je ne sais pas comment l'aider à aller mieux…

Mme Farault hoche la tête.

— Je ne m'attendais pas à ça… je dois l'avouer. N'avez-vous personne vers qui vous tourner ? Des grands-parents ?

Alexandra secoue la tête.

Militaire aussi, le père de Victor a été abattu lors d'une opération au Mali. Sa mère est en hôpital psychiatrique. Elle ne doit se rappeler que quelques minutes par an de qui elle est, alors lui demander d'aider Milo n'a pas de sens ! C'est sans doute une chance pour eux de ne pas assister à la débâcle de la vie de leur fils.

Pour Alexandra, dont les parents se sont tués dans un accident de voiture trois ans plus tôt, c'est par contre un drame. Car elle n'a personne pour la soutenir.

Personne ne peut la serrer dans ses bras pour la rassurer et lui dire que tout va s'arranger. Personne ne peut prendre le relais pour qu'elle recharge ses batteries. Personne.

Et ces deux femmes, ces étrangères qui portent un regard empli de jugement sur son histoire et le malheur de son fils, encore moins que les autres.

— C'est très triste, décrète Lisa.

C'est bien pire que ça, connasse…

— Oui, murmure Alexandra la tête basse.

— Pour autant, il va falloir que vous trouviez une solution, tranche la directrice. Milo ne peut pas continuer à agresser ses camarades de classe. Les parents d'élèves commencent à nous poser des questions, à s'inquiéter pour leurs enfants. Vous pouvez le comprendre, n'est-ce pas ?

Le cœur d'Alexandra s'emballe.

— Ne leur dites pas ce que je viens de vous dire.

— Évidemment.

Le regard fuyant des deux femmes contredit totalement cette promesse qui n'engage que celle qui l'entend. Quand il faudra se dédouaner et faire porter le chapeau à quelqu'un, elles sauront brandir cette vérité honteuse comme un drapeau blanc sorti pour éviter les balles.

Lisa pose sa main sur la sienne.

— Si Milo a été traumatisé par ce qu'il a vu, vous devez le faire aider. N'hésitez pas à consulter un psychologue.

Parce qu'elle croit qu'Alexandra n'y a pas pensé toute seule ? Seulement, quand on a un salaire de secrétaire comptable de mille six cents euros par mois, un crédit immobilier, des impôts sur le revenu et locaux, une voiture et des charges fixes qui représentent environ mille deux cents euros, on ne peut pas consacrer deux cents euros par mois pour des visites non prises en charge par la Sécurité sociale chez le psychologue. Cette somme, elle ne l'a pas.

Elle se met à pleurer de désespoir à l'idée d'être une mauvaise mère, de ne pas faire les bons choix, de ne pas savoir aider son fils…

Milo voit bien que les regards des autres enfants sur lui ne sont plus pareils. Ils ne comprennent pas pourquoi leur camarade est brutalement devenu imprévisible. Il leur fait peur et perturbe leur univers sans surprises.

Pourtant plus il se sent rejeté et mis à l'écart et plus les sentiments qui l'envahissent sans prévenir et qu'il ne parvient pas à contrôler deviennent forts.

— Tu veux jouer avec moi, Milo ?

Surpris, il tourne la tête et voit Armelle qui lui sourit timidement. Une vague de soulagement déferle sur lui.

— D'accord.

Sans se concerter, ils s'assoient sur un tapis. Une caisse de Lego Duplo se trouve à côté. Ils se mettent à bâtir une maison, son jardin, puis un univers.

Milo se sent bien. Il est redevenu un simple petit garçon. Ses mains construisent, inventent. Il sourit, rit même.

Totalement immergés dans leur jeu, ils ne voient pas qu'Enzo arrive en courant. Il joue lui aussi. Il est un avion de chasse. Il passe en rase-mottes près d'eux, les frôle avant de lâcher ses bombes. De plusieurs coups de pied rapides, il abat toutes leurs constructions.

Armelle crie. Cette intrusion violente et injuste replonge Milo en plein milieu de l'arrestation de son père. Il doit réagir. Il se jette sur son camarade et le fait tomber à terre. Il lui tire les cheveux, le frappe avant d'être retenu par sa maîtresse.

— Milo ! Ça suffit ! Arrête immédiatement ! Tu ne peux pas taper les autres à chaque fois que quelque chose te contrarie.

Elle a l'air très en colère contre lui. Milo a envie de pleurer. Il est désolé d'avoir fait mal à Enzo, de décevoir sa mère encore une fois, de ne pas réussir à être sage…

Lisa le conduit dans le bureau de la directrice.

— Il a recommencé ! Je ne sais plus quoi faire, Évelyne !

Mme Farault se lève et vient à leur rencontre.

— Je vais m'en occuper.

Milo baisse les yeux. Pourtant, la directrice a eu le temps d'y lire ses regrets. À le voir maintenant, si doux, si repentant, si beau, jamais on ne pourrait imaginer le petit démon qui distribue des baffes à tour de bras depuis quelques semaines.

Quand il n'est pas en crise, Milo est un gosse si intelligent et attachant… Quel gâchis !

Évelyne reste songeuse. Si Alexandra Léman est très jolie avec sa cascade de cheveux blonds bouclés, ses yeux noisette, son visage expressif et sa silhouette voluptueuse, Victor Léman est pour sa part carrément à tomber. Ses cheveux noirs coupés très court encadrent un visage racé doté d'un regard aussi pénétrant que celui de son fils, qui possède la même beauté un peu sauvage et la plupart des caractéristiques physiques de son voyou de père. Elle se fait la réflexion que manifestement il a aussi hérité des pires penchants de son géniteur…

Elle soupire avant de se lancer.

— J'ai l'impression que tu sais que ce que tu as fait est mal.

Il approuve piteusement.

— Ta maman t'a-t-elle dit que nous nous sommes rencontrées au sujet de tes colères ?

— Oui.

— Qu'en penses-tu ?

Il hausse les épaules.

— Je voudrais être sage, mais je ne fais pas exprès. Enzo a tout détruit. Et j'ai cru que…

Il se tait, l'attention braquée sur une scène d'horreur intérieure.

— Ta maman m'a parlé de ce que tu as vu.

Le visage de Milo se ferme, pourtant elle insiste.

— J'imagine à quel point ça a été difficile pour toi de voir ton papa…

Milo pose ses mains sur ses oreilles.

— Non !

Elle se lève et tire doucement sur ses mains.

— De voir ton papa se faire arrêter par la police.

Il lui lance un regard qui la glace, un regard qui n'a plus rien à voir avec celui d'un gosse de quatre ans, mais plutôt avec celui d'une créature enragée. Il se met à hurler. Surprise par ce son strident qui lui perce les tympans, elle le lâche. Elle recule, trébuche contre le pied de son bureau et tombe en arrière.

Lisa arrive en courant dans la pièce et découvre une scène incroyable : Milo dressé au-dessus de la directrice qui semble terrifiée. Elle ne cherche pas à comprendre et ceinture le petit garçon dont les hurlements redoublent. Il se débat comme un forcené.

Prise au dépourvu, Lisa le laisse s'échapper. Il se réfugie derrière sa chaise. Quand elle fait mine de s'approcher de lui, il s'en saisit, la soulève et s'en sert comme bouclier pour la tenir à distance.

— Non ! Non !

— Milo ! Calme-toi !

Elle s'avance vers lui les mains en avant.

— Tout va bien, Milo. Nous ne te voulons pas de mal.

Il cligne des yeux alors que la réalité reprend petit à petit ses droits. Il distingue les deux femmes bouleversées par la scène qu'elles viennent de vivre par sa faute.

— Lâche la chaise, s'il te plaît, Milo.

Il s'exécute et se met à sangloter. Son corps, bien trop minuscule pour contenir autant d'émotions, est secoué par la souffrance.

— Chut…

Lisa s'agenouille devant lui et ouvre ses bras dans lesquels il se réfugie.

— C'est impossible de continuer ainsi, assène Évelyne à son auditoire. Il est incontrôlable, trop dangereux.

Marc Ramier, le psychologue scolaire, a écouté son récit avec attention. D'un geste, il relève ses lunettes à monture blanche sur ses cheveux poivre et sel.

— Vous dites qu'il a vécu un événement traumatisant et que cela a totalement modifié son comportement ?

Lisa approuve.

— Son père a été arrêté sous ses yeux. La scène semble avoir été particulièrement violente. Sa mère dit que depuis il fait des cauchemars toutes les nuits. Il est devenu renfermé et sujet à de brusques colères.

Marc Ramier caresse la barbichette qui orne son menton, un tic qu'il manifeste dès qu'il réfléchit.

— Et que fait la mère pour remédier à tout ça ?

— J'ai l'impression qu'elle est dépassée par les événements. Nous lui avons conseillé de consulter un psychologue.

— Et…

Lisa hausse les épaules.

— Je ne crois pas que le suivi ait commencé. Le comportement de Milo ne s'est pas amélioré, en tout cas.

Marc Ramier lui lance un regard amusé.

— En même temps, n'attendez pas qu'il fasse des miracles. Le retour à la normale ne se fera pas comme ça.

Il claque des doigts pour souligner son propos.

— Que faisons-nous en attendant ? insiste la directrice. Je commence à recevoir des plaintes de parents inquiets. Leurs enfants ont peur de venir à l'école à cause des crises de Milo.

— Vous voulez le faire expulser ?

La directrice rejette l'idée d'un signe de tête.

— Vous savez bien que c'est impossible. Mais je ne pourrai pas indéfiniment empêcher que les parents en fassent la demande auprès de l'inspection académique. Il faut les comprendre…

Une nouvelle fois, Marc tire sur son bouc.

— Je vais voir le petit pour me faire ma propre idée.

La directrice ne peut cacher sa petite moue.

— Soyez prudent. J'ai tenté de dialoguer avec lui. J'ai pensé bien agir, mais dès que j'ai mentionné ce qui est arrivé à son père, il est devenu comme fou.

Lisa soupire.

— Ce n'est qu'un enfant, Évelyne. Dès qu'il a réalisé ce qu'il venait de faire, il s'est effondré. Je crois qu'il est aux prises avec des sentiments beaucoup trop lourds à porter pour lui. Ses pertes de contrôle sont juste le symptôme de sa souffrance.

— Sans doute, confirme le psychologue.

Évelyne leur lance un regard acéré.

— Je vous rappelle que si le projet de loi Sarkozy sur le dépistage précoce des enfants présentant des troubles du comportement passe, Milo devra faire l'objet d'un signalement.

Marc Ramier incline la tête avec une moue moralisatrice.

— Selon cette loi, le carnet de comportement censé répertorier et garder la trace de ces signes précoces de colère, de violence ou de désobéissance suivra ces enfants toute leur vie. Aucun de nous ne peut décemment souhaiter ce genre de chose.

Évelyne détourne les yeux.

— Je sais…

— Alors, que préconisez-vous exactement ? demande-t-il.

— C'est le fils d'un délinquant. Il faut le traiter comme tel. Nous devons faire preuve de sévérité et le recadrer à chaque fois que cela sera nécessaire. Il devra être puni, isolé du groupe s'il le faut. En aucun cas l'école ne devra être incriminée si son comportement entraîne des conséquences dramatiques.

Lisa envoie un regard perplexe vers Marc, qui soupire.

— Je comprends que vous souhaitiez protéger les autres élèves et l'intégrité de l'école, mais Milo n'est pas coupable, juste traumatisé. Le mettre à l'écart va le stigmatiser encore plus aux yeux de ses camarades.

Elle rejette cette objection d'un revers de main.

— Vous savez comme moi ce qui arrivera s'il se passe quelque chose au sein de l'école. Qu'il ait ou non des excuses, c'est notre responsabilité qui sera en cause.

Elle les dévisage tous les deux.

— Marc, vous verrez Milo autant de fois que nécessaire. Lisa, vous me remonterez chaque événement, même anodin. Je mettrai la pression sur sa mère jusqu'à ce que tout rentre dans l'ordre.

Face à leurs expressions dubitatives, elle hausse les épaules.

— Je le fais pour le bien de l'enfant.

Alexandra essaie d'étouffer ses sanglots dans son oreiller. Milo n'a pas besoin de percevoir son désarroi en plus de tout ce qu'il subit déjà.

Il y a six mois de cela, la vie était belle ; pas parfaite, mais douce. Aujourd'hui, chaque jour apporte son lot de mauvaises nouvelles, de contrariétés, d'humiliations et de souffrance.

Aujourd'hui, Alexandra a encore été sermonnée vertement par le personnel de la garderie et elle ne compte plus les entretiens avec la maîtresse de Milo et la directrice. La semaine dernière, elle a aussi rencontré l'inspecteur d'académie, Robert Gontrand.

S'il a demandé à la voir, c'est parce que des parents ont envoyé des courriers pour se plaindre du comportement de son fils et exiger son expulsion de la maternelle Marie-Curie. En plus du reste, sentir le rejet des autres, qui pour certains connaissent leur situation, l'a profondément blessée, sans compter qu'ignorer de qui sont venus ces courriers la rend parano. Elle a l'impression d'être cernée de toutes parts. À chaque fois qu'elle amène Milo à l'école ou qu'elle le récupère le soir, elle sent les regards plantés dans son dos, des regards qui se demandent comment elle ose encore leur imposer son rejeton dégénéré.

Heureusement, l'inspecteur d'académie l'a assurée de son soutien. Toutefois, s'il a parlé ainsi, c'est parce qu'elle a menti en confirmant que Milo voyait un psychologue. Ce qui n'est toujours pas le cas. Que se passera-t-il si l'administration le découvre ?

La boule qui s'est installée dans son ventre ne cesse de grossir. L'angoisse l'accompagne chaque jour, chaque minute, chaque seconde. Elle ronge sa santé, sa raison, ses envies, sa joie de vivre. Alexandra ne vit plus que dans la terreur de ce qu'on va lui annoncer chaque soir à l'école ou par téléphone. Dès qu'il se met à sonner, elle en a des palpitations. Elle ne s'est jamais sentie aussi impuissante de toute sa vie, si incapable de subvenir aux besoins les plus élémentaires de son enfant.

Maître Courrège l'a contactée pour lui annoncer que le procès de son mari commencera dans quelques jours et pour lui indiquer que Victor ne comprend pas pourquoi elle et Milo ne sont pas venus lui rendre visite une seule fois pendant ses six mois de détention préventive.

Comment ose-t-il ? S'il voulait voir Milo, il n'avait qu'à rester ici et trouver un travail qui ne l'aurait pas tenu loin d'eux, un emploi honnête qui ne l'aurait pas conduit là où il est !

Elle refuse que son enfant pénètre une seule fois en prison. Hors de question qu'il soit exposé au spectacle affligeant de son père incarcéré ! Une bouffée de haine envahit son cœur.

Milo a assez payé pour les erreurs de Victor. Il n'a dorénavant plus rien à voir avec le petit garçon d'avant. Son visage porte les stigmates de ses nuits sans sommeil et de ses pensées obscures. Il est angoissé et taciturne. Lui qui promettait d'être un enfant sociable est isolé et craint.

Et si les sanctions s'arrêtaient à l'école ! Mais, non ! Milo reste enfermé à la maison tous les week-ends, parce que s'il met le nez dehors, les enfants des voisins refusent de jouer avec lui, le gars bizarre de l'école. Le savoir privé d'amis et de liens sociaux lui ronge le cœur ! Alexandra est minée par ces transformations contre lesquelles elle n'a aucun moyen d'action.

Il est plus que temps d'affronter la réalité et le fait qu'une mère, même aimante et attentionnée, ne peut pas tout résoudre ! Elle essuie ses yeux et se lève de son lit. Elle ne peut décemment pas laisser Milo couler à pic comme ça. Elle sort ses relevés de compte pour établir les lignes coûteuses de son budget : abonnement téléphonique, Internet, assurance auto, courses… En allant chez Lidl ou Leader Price, en réduisant le prix de son forfait téléphonique, en n'achetant plus que le strict minimum et ainsi de suite, elle devrait pouvoir économiser assez pour que Milo puisse voir un psy.

Dans deux semaines, les vacances d'été commenceront. Ce qui la désole, c'est qu'en l'absence de famille, son fils devra aller au centre aéré alors qu'elle aurait aimé qu'il puisse bénéficier d'une vraie coupure.

Toutefois, ces deux mois lui laisseront le temps de restructurer ses dépenses et de trouver un psy.

Florent Courrège tend la main vers la jeune femme.

— Madame Léman, je ne pensais pas faire votre connaissance un jour.

Alexandra lui serre la main tout en observant le décor de ce bar de quartier avec son lot de poivrots accoudés au comptoir en cuivre.

— Désolée d'arriver en retard.

— Vous voulez un café ? Une boisson ? demande-t-il avec un sourire engageant.

— Non merci.

Admiratif, il observe l'épouse de son client : plus d'un mètre soixante-dix, une silhouette fine mise en valeur par une robe d'été fleurie, un visage éclairé de taches de rousseur et des cheveux blonds indisciplinés retenus par une pince. C'est une belle femme, même si des rides prématurées provoquées par les soucis la rendent plus mature que ses trente-trois ans.

Il trouve sa fragilité attirante.

Brièvement, il se demande pourquoi Léman a ressenti le besoin de la tromper. D'ailleurs, si ce con n'avait pas couché avec Amélie d'Andres et s'il ne s'était pas vanté devant elle, il serait toujours libre.

Anton Pavelitch ne décolère pas depuis qu'il a eu vent de sa bourde. Victor a vraiment intérêt à ce que personne de la bande ne tombe pendant son incarcération, sinon Anton aura sa peau. En taule ou pas, il le fera exécuter.

Elle s'assoit sur la banquette en skaï vert bouteille.

— Merci d'avoir accepté de me voir, maître.

Elle soupire.

— À vrai dire, je ne sais pas ce que je suis venue faire ici ni ce que j'espère en le faisant.

— Vous avez demandé à me rencontrer avant le verdict. Je suppose que notre entrevue a un rapport…

Elle baisse les yeux.

— Pensez-vous que Victor va être condamné ?

Florent hésite un instant à peine.

— Oui. Il est coupable des charges dont on l'accuse et les preuves contre lui sont solides.

Elle retient son souffle un instant. Ses yeux se remplissent de larmes. Il pose sa main sur son poignet. Les femmes fragiles ont toujours eu un effet dévastateur sur lui.

— Je suis désolé d'avoir été si brutal.

Elle rejette ses excuses d'un geste.

— Je vous ai posé une question, vous n'avez fait qu'y répondre. Merci pour votre franchise.

Elle se dégage d'un geste discret. Il hoche la tête pour signifier qu'il a compris le message.

— Puisque sa condamnation semble inévitable, avez-vous une idée de la durée de sa peine ? poursuit-elle.

— Il risque entre trois et huit ans de prison.

Horrifiée, elle pose sa main sur ses lèvres.

— Mon Dieu ! Milo pourrait avoir douze ans à sa sortie de prison !

À l'idée de devoir supporter cette pression toute seule pendant les huit prochaines années, Alexandra sombre. Elle deviendra folle d'angoisse bien avant la libération de Victor !

Florent voit un voile de désespoir et de colère passer sur son visage. Elle prend une brusque inspiration.

— Je vais devoir partir si je veux être à l'heure au centre aéré. Pouvez-vous transmettre un message à mon mari de ma part ?

Si elle avait vomi en prononçant le mot « mari », elle n'aurait pas eu l'air plus dégoûtée.

— Oui, mais vous devriez…

— Dites-lui que je ne vais pas demander le divorce et qu'à sa sortie de prison il pourra rentrer à la maison. Je veux qu'il sache que je préserverai les apparences, mais uniquement pour l'équilibre de notre fils. Dites-lui aussi qu'il a détruit la vie de son enfant et que j'espère qu'il aura tout le temps d'y penser du fin fond de sa cellule.

Elle s'apprête à poursuivre, mais l'avocat lève la main pour l'arrêter.

— Madame Léman, comment voulez-vous que je lui dise ce genre de choses ? Ce n'est pas mon rôle ! Vous devriez lui rendre visite. Il ne demande que ça.

Le visage d'Alexandra s'éclaire d'un sourire froid.

— Et moi, j'aurais aimé que mon époux soit un homme honnête et libre, et non un salopard de voleur, mais on doit tous s'arranger avec ce que la vie nous réserve.

Là-dessus, elle se lève.

— Dites-lui qu'on ne rend pas visite à un mort. C'est ce qu'il est pour moi. Au revoir, maître.

Surpris par l'échange, il la salue d'un signe de tête. Au temps pour lui et son idée de faible femme…

Quelques jours plus tard, il la contacte en pleine journée pour l'informer du verdict.

— Vous serez peut-être contente d'apprendre que la peine de votre époux est beaucoup moins lourde que nous aurions pu le craindre.

— Combien ?

Il est refroidi par son ton. Se peut-il qu'elle ait été sincère lorsqu'elle lui a délivré son message ? Florent n'a pas pu se résoudre à le répéter aussi brutalement à son client, mais il aurait peut-être dû, en fin de compte.

— Quatre ans ferme. Avec le temps qu'il a passé en détention provisoire et les remises de peine auxquelles il pourra prétendre, il devrait sortir d'ici trois ans.

S'il pense lui faire plaisir, il en est pour ses frais.

— Je vous remercie, maître.

— Madame Léman, Victor a dit qu'il comprend votre colère et qu'il est désolé. Pour tout.

— Au revoir, maître.

Elle raccroche. L'avocat regarde son portable avant de le ranger. Alexandra Léman est surprenante. Encore une fois, il se demande pourquoi Victor a éprouvé le besoin de mettre sa famille en péril pour sauter une bimbo sans cervelle comme Amélie d'Andres.

— Madame Léman, vous avez voulu protéger votre fils, je le conçois, mais le constat ne parle pas en faveur des choix que vous avez faits, vous en conviendrez, n'est-ce pas ?

Alexandra fait mine de s'expliquer.

— J'ai…

Elle referme la bouche et baisse la tête.

À cinq ans, Milo a entamé sa dernière année de maternelle il y a trois semaines et plusieurs incidents sont déjà à déplorer. Et cela sans compter les remarques incessantes des animateurs du centre cet été. Elle doit se rendre à l'évidence.

— Non. Effectivement.

Pédagogue, la psychologue, Adèle Marloux, lui sourit avec gentillesse.

— Essayez de vous mettre une seconde dans la tête de Milo. Des hommes sont venus prendre son père. La scène a d'ailleurs été traumatisante au point de modifier radicalement son comportement, de le rendre renfermé et colérique.

La psychologue la sermonne d'une voix douce.

— Je suppose qu'avant l'arrestation de votre époux, vous parliez souvent de lui à la maison, pendant ses fréquentes absences.

Il ne se passait pas un jour sans qu'ils prévoient des activités ou des lieux à partager avec Victor lorsqu'il rentrerait. Alexandra serre les dents à l'idée de tout ce temps perdu à idéaliser une pourriture et à tenter d'attirer son attention et de le satisfaire quand il daignait leur accorder sa présence.

— Bien sûr, répond-elle froidement.

— Pour votre fils, c'est donc la double peine : on lui a volé son père et vous l'avez totalement rayé de votre vie.

Alexandra cligne des yeux, horrifiée soudain.

— Je... quand j'ai appris qu'il...

Adèle se penche en avant.

— Il vous a trahi, vous, mais cela n'a rien à voir avec les sentiments qu'il éprouve pour Milo.

Alexandra entend ce que dit la psychologue. Elle a été blessée par la trahison de Victor, sa vie secrète de voleur, ses mensonges. Elle aussi a été choquée par son arrestation spectaculaire et brutale. Elle lui en veut d'avoir fait de son fils un écorché incontrôlable et de l'avoir laissée seule pour assumer les conséquences de ses conneries à lui.

Entendre qu'elle pourrait avoir sa part de responsabilités dans ce qui arrive à Milo la laisse songeuse, elle doit bien l'admettre.

— Que dois-je faire ? L'emmener voir Victor dans cet endroit horrible ?

Elle frissonne d'effroi à cette idée.

— Si Milo veut voir son père, vous ne devriez pas vous y opposer.

— Vous pensez vraiment que ça serait bon pour lui de le voir en détention, au milieu des voyous, des dealers et de tous les autres monstres qu'il risque d'y croiser ?

L'incrédulité d'Alexandra est perceptible dans sa voix qui monte dans les aigus à chaque ajout.

— Revenez progressivement à des discussions normales à propos de son père. C'est un premier pas essentiel. Nous reparlerons de la suite si Milo est demandeur, vous voulez bien ?

Alexandra soupire. Milo a toujours porté Victor aux nues. Elle reconnaît donc qu'elle a commis une erreur en faisant comme s'il n'avait jamais partagé leur vie.

— Si c'est pour le bien de Milo…

Adèle serre ses mains l'une contre l'autre.

— Maintenant, si vous voulez bien, je vais voir votre fils en tête à tête.

Alexandra approuve. Dans la salle d'attente, Milo joue paisiblement sous le regard attentif de la secrétaire de Mme Marloux.

— Merci, Anne.

Adèle tend la main à un Milo méfiant pendant qu'Anne reprend sa place derrière son bureau à l'accueil.

— Ta maman va rester dans la salle d'attente pendant que nous discutons un peu toi et moi. Tu veux bien ?

Il lance un regard vers Alexandra qui lui adresse un signe d'encouragement. Timidement, il accepte de suivre la psychologue dans son bureau.

Dans cette salle d'attente remplie de jouets qui ont déjà bien vécu, Alexandra expire lentement. Par moments, elle perçoit la voix de son fils. Elle ne comprend pas ce qu'il dit, mais sa conversation est fluide.

Il avait manifestement besoin de parler et elle a loupé le coche. Combien d'autres choses a-t-elle cru bien faire en ratant complètement son objectif ?

À la fin de la séance, Milo la rejoint avec un visage plus apaisé que ces derniers temps. Elle lui caresse la joue.

Mme Marloux les raccompagne jusqu'à l'accueil.

— À la semaine prochaine, Milo.

— À la semaine prochaine.

Une fois dans l'ascenseur, Alexandra lui demande son avis.

— Comment la trouves-tu ?

— Elle est gentille. Il y a plein de jouets dans son bureau.

Elle approuve.

— J'espère que grâce à elle tu vas pouvoir aller mieux.

Il tourne la tête vers elle. Elle lit son envie de parler de son père dans ses yeux, mais il se retient, pour elle.

Il est temps de voir si son investissement financier et les restrictions que cela va entraîner pour eux en valent la peine.

— Je suis désolée d'avoir fait comme si papa n'existait plus, Milo. J'ai mal, moi aussi, et j'ai cru que ça serait plus facile pour nous. Je me suis trompée.

Avec un son qui ressemble à un soupir de soulagement, il lève sa main pour la placer dans celle de sa mère.

— Je t'aime, maman.

— Je t'aime, Milo.

Milo ne comprend pas. Il fait tout ce qu'on lui demande, pourtant ! Il dit ce qu'il ressent à Mme Marloux et elle lui donne des pistes pour mieux réagir. Il pensait qu'après avoir fait la paix avec sa mère et recommencé à parler de papa, tout s'arrangerait.

Les mots qu'il gardait pour lui coulent à présent. Et avec eux, les larmes. Il dort d'ailleurs mieux depuis qu'il évacue son chagrin. Il fait moins de cauchemars. Il se sent moins en colère aussi.

Alors pourquoi est-il toujours à l'écart à l'école ? Pourquoi les adultes le surveillent-ils en permanence ?

Pendant toutes les récréations, il doit rester assis, seul, pendant que les autres s'amusent. Milo aimerait se joindre à eux. Il voudrait pouvoir recommencer à être un simple petit garçon.

Chaque fois qu'il fait mine de se lever et de se mettre à courir, un animateur ou une maîtresse l'oblige à se rasseoir. Pendant plusieurs jours, il accepte cette punition, même s'il ne sait pas ce qu'il a fait pour la mériter vu qu'il est sage en ce moment.

Pourtant aujourd'hui, il est très agacé par son immobilisme forcé. Il se décide à désobéir aux consignes et échappe à la vigilance toute relative de la fille qui le surveille.

Armelle le voit arriver. Elle lui adresse un sourire qui lui fait du bien. C'est la seule qui ne lui a jamais tourné le dos.

— Milo ! J'ai une balle.

Elle la lui tend. Il la lui renvoie et ils jouent pendant quelques minutes.

— Ah ! Tu es là ! Je t'avais dit de rester avec moi. Reviens t'asseoir !

Une main se pose sur l'épaule de Milo. Il la repousse d'un geste distrait.

— Milo ! Je t'ai demandé de venir ! Tu dois obéir.

Il se tourne vers elle.

— Mais je ne fais rien de mal !

— Pour le moment ! Mais que va-t-il se passer si tu te remets à taper tes copains ?

Un sentiment terrible de honte et d'humiliation envahit Milo alors que l'animatrice lui prend le bras et l'entraîne de force vers le banc. Toute la maigre confiance qu'il a réussi à retrouver s'enfuit. Confronté et ramené à ce qu'il y a de pire en lui, il a envie de se mettre à pleurer. Les autres se sont regroupés autour d'eux.

Avec des sourires mauvais, ils viennent le narguer, le traiter de débile, de méchant et de fou. Ils dansent, se moquent de lui, lui crient dessus.

La colère à peine apaisée de Milo flambe à nouveau. Il tire comme un forcené pour se dégager de la prise de l'adulte. Elle se met à lui hurler dessus. Elle l'attrape par le bras et serre. Elle lui fait mal alors il lui balance un coup de pied rageur.

Quand sa mère arrive à l'école ce soir-là, Mathilde lui annonce qu'il a piqué une nouvelle crise et frappé une animatrice.

Le visage de sa maman se décompose. Il lit la déception et la peine dans ses yeux. Elle aussi pensait que les choses allaient s'arranger. Milo pressent qu'ils se sont tous les deux trompés. Les autres ne vont pas le pardonner aussi facilement que ça.

Quand ils marchent côte à côte pour retourner à la maison, il lui jette des coups d'œil tristes.

— Pardon, maman.

— Je ne sais pas quoi te dire, Milo.

Il déteste entendre autant de lassitude dans sa voix. Il voudrait lui dire que cette fois, il s'est énervé parce que sa punition était injuste. Il voulait juste redevenir un petit garçon comme les autres, mais comment peut-il y arriver si les adultes le présentent comme une personne dont il faut avoir peur et se méfier ?

— Mais je n'ai même plus le droit de jouer à la récréation !

— Quand tu joues, regarde le résultat ! Ils ont peut-être raison de t'empêcher d'approcher les autres…

Il voudrait lui dire qu'elle se trompe, mais les larmes qui coulent sur ses joues lui font ravaler ses excuses. Qu'il y ait une explication ou pas, il ne pourra pas effacer les conséquences de son nouvel échec.

La dernière année de maternelle de Milo s'écoule péniblement. Il voit toujours sa psychologue, pourtant Alexandra ne vit plus qu'au rythme des sentences de l'équipe éducative.

Son esprit est focalisé sur la terreur de ce qui l'attend chaque soir quand elle le récupère.

Dès qu'elle descend du bus et qu'elle s'approche de l'école, son ventre se serre et son cœur se met à battre plus vite. Les bons jours se comptent sur les doigts d'une main, quand les mauvais s'accumulent. Elle ressort souvent les larmes aux yeux, les épaules basses et la honte chevillée au corps, rongée par l'impuissance à trouver des solutions et à changer le regard des autres sur son fils. Elle essaie de le gronder, de le punir, de le sermonner, de discuter, et même de lui proposer de rendre visite à son père… Les résultats ne sont pas probants ni durables. Elle comprend rapidement que ses mots n'ont aucun impact sur le comportement de Milo en collectivité. Ce qu'il veut, c'est avoir son père à la maison. Le voir derrière les barreaux ne le tente manifestement pas, malgré toutes les tentatives de sa psychologue pour le pousser à sauter le pas.

Quand le dernier jour de classe arrive, elle a l'impression de voir le bout du tunnel ! Après un week-end reposant, elle l'amène pour le premier jour de centre aéré. Elle constate avec déplaisir que Mathilde dirige l'équipe des animateurs. Dès qu'Alexandra la voit poser un regard contrarié sur Milo, elle sait que l'horreur va se poursuivre, encore et encore.

Et, de nouveau, les soirées pourries s'enchaînent. Chaque seconde qu'ils pourraient passer ensemble est noircie par les tentatives désespérées d'Alexandra pour le remettre dans le droit chemin.

À aucun moment, elle ne se rend compte qu'elle contribue à faire monter la pression. Elle croit bien faire. Elle pense que ses paroles peuvent l'apaiser. Elle ne voit pas que sa colère et ses larmes ne font qu'accentuer le sentiment d'échec et d'angoisse de son fils. Elle ne réalise pas que des punitions sorties du contexte et éloignées du fait générateur ne font qu'accentuer l'injustice et la détresse qu'éprouve Milo.

S'il n'y avait que ça…

Milo n'a plus d'amis, personne pour jouer avec lui. Il est craint et, malheureusement, ses sautes d'humeur quand il est confronté aux conséquences de ses actes ne contribuent pas à le rendre populaire ou à apaiser les tensions. On le surveille comme du lait sur le feu. On ne lui pardonne rien et les réactions des adultes sont disproportionnées, à la mesure de leur incapacité à le comprendre et à le calmer. Tous les efforts qu'il peut fournir sont noyés au milieu de ce qui ne va pas dans son comportement.

Quand l'été se termine et que la rentrée arrive, Alexandra n'est plus qu'une boule de nerfs.

Avec le mois de septembre, les rendez-vous entre Milo et sa psychologue reprennent. Comme l'année précédente, Milo retrouve un semblant de sérénité. Il dort mieux et ses journées s'en ressentent. Forte des conseils de Mme Marloux, Alexandra adapte son comportement. La pression retombe légèrement.

Milo a toujours été un enfant intelligent. Dès la rentrée, il est absorbé et intéressé par les apprentissages du CP. Sa maîtresse, compétente et attentive, parvient à le canaliser la plupart du temps et à mettre en avant ses succès pour lui rendre confiance en lui.

Il se fait de nouveaux copains venant d'autres écoles maternelles. Il est invité à ses premiers goûters d'anniversaire. Il y a bien sûr quelques rechutes désagréables qui ravivent les traumatismes et l'angoisse d'Alexandra, mais dans l'ensemble, la situation se stabilise jusqu'à la moitié du CE1 de Milo.

Maître Courrège reprend alors contact avec Alexandra pour lui annoncer que Victor va sortir de prison.

Victor récupère ses affaires et quitte la prison d'un pas lourd. Après un dernier regard en arrière, il observe l'immense parking face à lui. Il n'y a aucune trace de la Clio d'Alexandra.

Il fronce les sourcils. Est-ce qu'elle aurait pu changer de voiture depuis son incarcération ? Avec circonspection, il observe les quelques véhicules garés alentour.

Quand maître Courrège lui a dit qu'elle ne serait pas là, il n'en a pas cru un mot. Pourtant, force est de constater qu'elle l'a planté.

Il envisage de prendre un taxi, mais les finances d'un mec tout juste sorti de taule et à qui sa famille n'a jamais envoyé de colis ne sont pas ce qu'on appelle florissantes… Le bus alors ? Il fouille ses poches à la recherche de la menue ferraille qu'il a récupérée avec ses effets personnels.

Ça va être juste…

Merde ! C'est ça maintenant, Victor Léman ?

Il regarde ses mains calleuses en soupirant. Elles ont tenu des armes et menacé des gens dangereux, des innocents aussi. Elles ont tiré quand il le fallait, ce que, heureusement, cette salope d'Amélie ignorait – elle n'a donc, au moins, pas pu le balancer pour ça. Elles ont plongé dans des tas de bijoux et d'or. Elles ont jeté de l'argent par les fenêtres, caressé les plus belles femmes et conduit des voitures de luxe puissantes.

Et à présent, elles sont vides. Comme l'est sa vie à l'idée qu'Alexandra l'ait rejeté au point de le priver de son fils et de refuser de lui rendre visite.

Il se dirige vers l'abribus le plus proche et demande son chemin à un vieil homme à la peau noire tannée par l'âge assis là.

— Je veux aller à Lomigny-sur-Antelle. Vous pouvez m'indiquer le chemin à prendre, s'il vous plaît ?

Après un échange laborieux, il obtient les réponses à ses questions.

Quand il descend d'un deuxième bus devant la gare RER de Lomigny, il n'a plus assez d'argent pour un autre billet. Il finit à pied.

Tout en parcourant les rues, il tourne la tête sans arrêt pour observer ce qui l'entoure. Il n'est pas resté longtemps en prison, mais ça lui a suffi pour être totalement déconnecté du monde. Les bruits, les pleurs, les cris, la surpopulation, la violence sous-jacente, l'absence totale d'intimité et la promiscuité ont fait de lui un autre homme. Être propulsé brutalement dans le monde extérieur, sans transition, sans sa famille pour amortir le choc, le laisse étourdi. Trop de sensations, de sons étrangers et de liberté d'un coup.

Il marche d'un bon pas jusqu'à l'entrée du lotissement où ils habitent. L'air est doux, les gens sont dans leurs jardins. On le dévisage avec dédain. Quand il était militaire, on l'admirait. Maintenant, ils le prennent pour une ordure. Ça lui va. Il n'en a strictement rien à foutre de leur opinion de toute façon.

Enfin, il arrive devant sa maison, une construction de plain-pied avec une grande pièce à vivre complétée par une cuisine ouverte, deux chambres spacieuses, une salle de bains et des toilettes séparées. Quand Alexandra et lui l'ont achetée, l'agent immobilier leur a dit qu'ils devraient en prendre une avec une chambre de plus, mais ils ont eu le coup de cœur pour l'espace, la disposition des pièces, le terrain arboré et le quartier avec un voisinage idéal pour un jeune couple.

Il est surpris de constater que le jardin est bien entretenu et fleuri. Les volets ont été repeints. Il n'imaginait pas qu'Alexandra s'en sortirait aussi bien sans lui.

À l'époque, quand il revenait de ses différents voyages, Alexandra et le petit l'attendaient avec impatience sur le pas de la porte. Ils l'accueillaient comme un prince. À présent, il n'y a personne pour lui. Il soupire.

Un petit pincement au cœur lui rappelle qu'elle a refusé de venir le voir en prison. Cela fait plus de trois ans qu'il ne les a pas vus. Elle l'a expulsé de sa vie et a chargé son enculé d'avocat de lui passer le message. D'une simple phrase, elle l'a anéanti.

Il n'y avait pas cru au départ, persuadé qu'Alexandra l'aimait et qu'elle n'allait pas pouvoir se passer de lui. Pourtant, au fil des jours, il avait dû se rendre à l'évidence. Même les pires salopards de la prison recevaient des visites de leur famille, de leurs gonzesses, de leurs amis… Lui est resté désespérément seul, sans nouvelles d'elle et de Milo.

Il se demande brièvement s'il a raison de revenir dans ces conditions-là… Pourtant, il pose son doigt sur la sonnette. Il entend un hurlement de joie à l'intérieur.

— Papa ! C'est papa !

Il reconnaît le bruit des pas de son fils avant que la porte s'ouvre sur lui. La gorge de Victor se serre à la vue du grand garçon qui se tient face à lui.

— Bonjour…

Du haut de ses sept ans, Milo affiche une maturité surprenante. Il dévisage son père en silence. Dans son souvenir, celui-ci n'avait pas autant de rides, pas de tatouage dans le cou ni les cheveux longs.

— Mon lapin…, murmure Victor avec émotion.

— Papa !

Victor s'agenouille devant lui et Milo se jette dans ses bras. Il sent le cœur de son fils battre contre le sien. Tout l'amour que le gosse ressent pour lui l'enveloppe comme une vague chaude et bienfaisante.

— Bonjour, Victor.

Il relève les yeux vers Alexandra. Des rides d'amertume froissent sa peau jadis si douce. Sa posture rigide et fermée lui prouve qu'il n'est pas le bienvenu.

Gêné, il se redresse en passant une main dans ses cheveux.

— Bonjour.

Elle hoche la tête.

— Milo t'attendait.

— Et toi ?

Elle lui tourne le dos sans répondre. Il observe sa tenue : jean et pull blanc. Elle lui paraît amaigrie.

— Le repas est prêt.

Il n'imaginait pas qu'elle allait sauter de joie en le revoyant, mais de là à lui faire la gueule ainsi… Milo lui prend la main. Il l'attire vers lui pour lui parler à l'oreille.

— Quand tu es parti, j'ai fait beaucoup de bêtises à l'école. Maman a été très triste.

Victor observe sa moue coupable.

— Et tu crois qu'elle m'en veut pour ça ? demande-t-il.

Milo hausse les épaules.

— À l'école, ils lui ont fait beaucoup de reproches à cause de moi. J'aurais voulu être sage pour qu'elle ne pleure plus, mais à chaque fois que quelque chose me rappelle la nuit de ton départ, je suis en colère et je ne peux plus rien contrôler. Ça arrive moins souvent maintenant et plus du tout depuis que je sais que tu vas rentrer, alors j'espère que tu ne retourneras plus jamais en prison.

Victor a souvent pensé aux années qu'il perdait en restant en taule, à la trahison d'Amélie et au fric qu'il aurait pu se faire pendant le temps de son incarcération. À aucun moment, il doit l'avouer, il n'a songé aux conséquences pour sa famille. D'un seul coup, il est projeté dans ce qu'il leur a imposé et fait subir.

— Mon lapin, j'ai fait des erreurs et c'est pour ça que j'ai été condamné. Les policiers ont juste fait leur travail.

Ça lui écorche la gueule de le reconnaître, mais c'est la pure vérité.

— Tu veux dire que je ne dois pas être en colère à cause de ça ? demande Milo.

— Surtout pas !

— Si tu ne donnes plus l'occasion aux policiers de t'arrêter, ils te laisseront tranquille, pas vrai ? demande le gosse, plein d'espoir.

Victor a compris la leçon, mais de là à ne plus jamais voler… Il ne sait rien faire d'autre. Il répond dans un souffle.

— C'est exact.

— Génial !

Il suit son fils dans le salon. L'odeur de la sauce tomate mijotant avec de la viande hachée parvient jusqu'à ses narines. Ses papilles s'emballent.

— Ça sent très bon.

— J'ai demandé à maman de préparer ton plat préféré.

Milo court dans la cuisine et revient avec une bière.

— On a acheté ça pour toi. C'est moi qui l'ai choisie.

Victor sourit à la vue de la bouteille glacée qui lui met l'eau à la bouche. Presque malgré lui, il se met à parler.

— Vous m'avez manqué.

Alexandra lui lance un regard qui ne cache pas grand-chose de tout le mal qu'elle pense de son mensonge éhonté. Seul Milo réagit avec un amour débordant.

Ils prennent place à table. La soirée se passe aussi bien que possible malgré la nervosité et la distance d'Alexandra.

Elle finit par demander à Milo d'aller se coucher. Même s'il rechigne à cette idée, il obéit pour les laisser tous les deux. Ses parents doivent avoir des tas de choses à se dire.

Ravi de ces retrouvailles, il s'endort dès qu'il pose la tête sur l'oreiller.

— Tu n'as pas l'air contente de me revoir…

Elle ricane.

— Tu as toujours été si perspicace, bien plus que moi en fait.

Il serre les lèvres.

— Qu'est-ce que tu as dû te marrer en pensant à ma bêtise pendant que tu sautais tout ce qui bougeait ! ajoute-t-elle avec froideur.

Il ouvre de grands yeux surpris.

— Alexandra ! C'est faux ! Je n'ai pas…

— Ne te donne pas la peine de mentir ! susurre-t-elle.

Elle se lève.

— Je t'ai préparé des draps pour le canapé.

— Quoi ?

Elle hausse les épaules devant son air ahuri.

— Tu vas dormir dans le salon.

— Je pensais que…

— Tu allais rentrer pour retrouver ta vie d'avant ? Comme si de rien n'était ?

— Ben…, répond-il avec un sourire canaille.

— Après m'avoir trompée, après avoir menti à tout bout de champ, fait de la taule et chopé je ne sais quelle maladie parmi les prisonniers, tu voudrais que je couche avec toi comme avant ? Je ne suis peut-être pas la seule personne stupide de notre couple, en fin de compte, ironise-t-elle. C'est là ta place à présent !

Il fait mine de le prendre à la rigolade.

— Tu déconnes !

— Pas du tout. En attendant que tu trouves un boulot honnête, j'ai annoncé à l'école et à Milo qu'il n'irait plus à la cantine ni à la garderie le matin et le soir.

Elle le prend pour quoi ? Une nounou ?

— Mais…

Elle pose les mains sur la table et se penche vers lui. La colère déforme ses traits.

— Ferme ta gueule, Victor ! Tu as volé tellement d'années à ton fils que tu lui dois ces moments. Et tant que je serai le seul revenu du foyer, tu n'auras pas voix au chapitre.

Il ne reconnaît plus la femme qui se tient face à lui. Il tend la main vers elle pour caresser sa joue.

— Ma puce ?

Elle recule hors de portée avec une moue écœurée.

— Tu as un mois pour trouver un boulot honnête.

— Un mois ?

Elle croise les bras devant elle.

— Oui. Ne me fais pas regretter d'avoir accepté que tu reviennes chez nous.

Menaçant, il se lève à son tour.

— Si tu me hais à ce point, si tu me crois capable de coucher avec des mecs pour me soulager en taule, si tu me penses assez con pour avoir attrapé le sida, pourquoi as-tu dit à mon avocat que je pouvais rentrer à la maison ?

— Je l'ai fait pour Milo. Si tu es là, c'est uniquement pour lui.

Il voit dans son regard à quel point il la dégoûte. Il s'emporte.

— Tu exagères, Alexandra. Je t'interdis de me parler comme ça. Je suis ton mari ! Je n'ai pas à accepter tes ordres, ton mépris, et ça…

Il montre le canapé avant de lui prendre le bras et de l'attirer vers lui. Il pose ses mains sur ses fesses.

— Tu es ma femme, et si je veux coucher avec toi…

Il embrasse son cou.

— Ça s'appellera un viol, parce que je ne serai pas consentante, assène-t-elle. Donne-moi une excuse pour te renvoyer en taule, une seule, et je ne te louperai pas, Victor.

Elle retire violemment son bras. Douché, il la dévisage en silence.

Pourtant, il refuse de lui laisser l'ascendant. Elle doit comprendre qui commande.

— Nous savons tous les deux que tu es incapable de faire souffrir Milo juste pour me punir, assure-t-il.

Il capte la lueur d'incertitude qui annonce sa défaite dans son regard. Elle est prise entre Milo et lui, entre l'instinct maternel et sa haine de femme trahie. Elle baisse la tête parce qu'elle sait tout comme lui que le petit ne va pas comprendre son attitude, la chambre à part et tous les changements dans leur couple.

Dans le temps, sa position belliqueuse est intenable. Pourtant, Victor est prêt à faire un effort. Il porte ses doigts à ses lèvres pour les embrasser.

— OK. Pour cette nuit, on va faire comme tu dis. Mais je ne renoncerai pas à essayer de retrouver ma femme.

— Ta femme, tu ne l'aurais pas perdue, si tu n'avais pas choisi de la tromper !

Furieuse, elle lui tourne le dos pour s'enfermer dans leur chambre. Son cœur martèle ses côtes.

Alexandra ferme les yeux un instant. L'air est doux. Elle se sent heureuse. Elle soupire de béatitude.

Depuis la sortie de prison de Victor, Milo ne fait plus de vagues. Il est souriant, amical, attentif, doux et obéissant… Sa maîtresse de CE1 n'avait pas assez de compliments pour qualifier les progrès de son fils. Il a terminé son année sans problème et collectionné les bonnes notes… Dorénavant, il a des amis et est très entouré.

Après la tempête qu'a été leur vie, Alexandra savoure cette embellie bienvenue.

Elle attrape son verre de rosé et avale une gorgée. Un petit rire lui échappe. Elle a un peu trop bu. Sa tête tourne légèrement et elle se sent euphorique.

Victor sort par la baie vitrée pour la rejoindre sur la terrasse.

— C'est bon, Milo est couché.

— Il était épuisé.

De douces notes de musique cubaine s'échappent de l'intérieur.

— Tu as mis Buena Vista Social Club ? s'étonne-t-elle.

C'est une tactique déloyale. Il y a tant de souvenirs entre eux liés à cet album.

— La soirée est idéale pour profiter de… nous.

Alexandra lui lance un regard indécis. Elle ne sait plus trop où elle en est. Depuis le retour de Victor et l'ultimatum qu'elle lui a lancé, il s'est trouvé un boulot et il assure comme un chef.

Milo est aux anges parce que son père se révèle dévoué et attentif. Il passe énormément de temps avec lui, il l'aide à faire ses devoirs, il joue avec lui, l'écoute et l'encourage. Il accomplit avec brio toutes ces choses auxquelles il n'avait jamais accordé de temps ou d'importance avant son arrestation.

Elle ne l'avait jamais vu s'investir autant pour leur famille, pour Milo et aussi pour elle. C'est assez déstabilisant, car elle voudrait garder ses distances avec lui, mais il grignote chaque jour du terrain.

Avant, quand il était là, Victor avait tendance à se comporter en maître et seigneur des lieux. Tous les autres devaient être aux petits soins pour lui. À présent, il est absolument charmant. Il l'aide à la maison, fait les courses. Il prépare à manger, s'occupe du jardin.

Depuis leur discussion houleuse le premier soir, il dort sur le canapé sans faire d'histoires. Il n'a plus jamais rien tenté. Elle perçoit bien de temps en temps ses regards chargés de désir, mais il respecte sa décision. Est-ce que cet homme, celui qu'elle a épousé et qui n'a jamais été très impliqué dans leur couple, pourrait d'un seul coup devenir une autre personne ?

Consciente de tous ces changements et du rôle qu'il a joué dans le mieux-être de Milo, Alexandra a bien été obligée de « s'assouplir ». Maintenir une attitude revêche et éviter les moments sympas s'est effectivement révélé impossible dans la durée. Aussi, quand il a proposé de préparer un barbecue, elle n'a pas trouvé d'excuse valable pour y échapper.

Grisée par l'alcool, elle l'observe avec un regard neuf. Il a beaucoup mûri en prison. Il est toujours aussi beau, bien sûr. Les tatouages visibles sur sa peau, ses petites rides d'expression et sa nouvelle coupe de cheveux ont accentué son côté ténébreux. S'il était déjà à tomber avant, il l'est davantage encore.

Alexandra ne sait même pas où elle trouve encore l'énergie de résister à l'attraction qu'il exerce sur elle.

Comme elle ne répond pas, il incline la tête.

— Tu en dis quoi ?

Elle soupire.

— J'en dis que tu m'as fait boire pour atteindre ce résultat !

Il sourit.

— Peut-être…

Au moment où il prononce ces paroles, elle se rembrunit.

— Quoi ? J'ai dit quelque chose qui ne va pas ?

Pourtant, il avance en douceur. Il ne lésine pas sur les moyens pour récupérer sa femme. Malheureusement, il n'a toujours pas retrouvé le chemin de son cœur, et encore moins celui de son lit.

— Je…

Elle détourne la tête avec une expression contrariée.

— Dis-moi à quoi tu penses, demande-t-il.

— À chaque fois que tu te montres charmant avec moi, je ne peux m'empêcher de penser que tu as servi les mêmes mots et que tu as employé les mêmes techniques de séduction sur d'autres femmes.

Elle observe un silence, surprise d'avoir livré son secret, qui va immanquablement entraîner une discussion qu'elle n'est pas en état de mener. Pas alors qu'elle a un coup dans le nez et qu'elle se sent à deux doigts de craquer.

— Alexandra, je suis impardonnable. Je ne sais pas comment te faire comprendre à quel point je suis désolé pour tout le mal que je t'ai infligé. Je sais que coucher avec Amélie était une erreur grossière. J'avais tout ce qu'il fallait à la maison, pourtant…

Il secoue la tête.

— Je me suis laissé griser par l'argent sale et le luxe. Aujourd'hui, je sais où sont mes priorités.

Elle serre les lèvres.

— J'ignore si je peux encore croire en toi, Victor.

Il encaisse sa remarque avec une grimace.

— Tu ne le sauras jamais si tu ne me laisses pas une chance de te montrer que je peux être un bon époux.

L'instant est chargé d'intensité. Il perçoit son hésitation. Elle ne lui a jamais paru aussi désirable qu'à cet instant. Il tend la main pour attraper la sienne. Il se lève et l'entraîne avec lui, contre lui.

— Victor ! s'étonne-t-elle.

Il la serre entre ses bras et se met à danser au rythme langoureux de la musique. Elle résiste un instant avant de se laisser aller contre son torse. Il laisse ses mains descendre doucement le long de ses fesses. Elle frissonne sous ses caresses.

Il profite de cet instant de faiblesse et pose ses lèvres sur les siennes. Elle gémit et passe ses bras derrière son cou. Elle presse son corps contre le sien.

— Alexandra…

Il sent à ses réactions qu'elle ne s'oppose plus à lui. Il l'entraîne vers leur chambre et la couche sur le lit. Il se déshabille sans perdre un instant et la laisse admirer son corps après toutes ces années de séparation. Il se penche en douceur au-dessus d'elle et s'attaque lentement aux boutons de sa robe qu'il entrouvre ensuite pour révéler ses sous-vêtements en dentelle blanche.

— Ma puce.

Il redécouvre son corps avec bonheur du bout des doigts et des lèvres, le contact de sa peau veloutée, son odeur sucrée qui envahit ses sens.

Il lui retire sa culotte avant de se placer entre ses jambes. Quand il s'enfonce en elle, il a l'impression qu'après avoir été chassé du paradis pendant tant d'années, il vient d'en retrouver le chemin.

Il a réussi à la reconquérir. Confusément, alors que son plaisir enfle, il se fait la promesse de ne plus jamais la décevoir.

— Papa, regarde-moi !

Victor lève la tête vers Milo qui saute sur un trampoline, attaché à des élastiques qui amplifient ses mouvements. Il enchaîne des bonds de plusieurs mètres et des saltos arrière. Victor l'encourage à augmenter la difficulté de l'exercice.

— Essaie en avant maintenant.

Milo ferait à peu près n'importe quoi pour le satisfaire. Il écoute les conseils du gars qui tient le stand et tente sa chance. Après plusieurs essais infructueux, il réussit une figure parfaite.

Il hurle de joie et Victor l'applaudit.

— Excellent, mon lapin. Recommence !

— OK, papa.

Victor sent une main se poser sur son épaule.

— Salut, Victor.

Victor ferme les yeux en reconnaissant cette voix grave éraillée. Il s'agit de Léo Salomone, le second d'Anton Pavelitch. Dur à cuire, sans état d'âme, il serait capable d'égorger un gosse avec les dents si Pavelitch le lui demandait. Et si lui est là... Victor vérifie rapidement les alentours. Quatre hommes de main observent la scène en retrait, sans chercher à être discrets. Et il les a conduits tout droit vers son fils et Alexandra. Une vague de peur parcourt son corps.

— Léo…

Léo s'assoit à côté de lui et retire ses lunettes de soleil.

— Anton Pavelitch commence à s'impatienter. Il se demande pourquoi tu n'as pas repris contact.

— Je ne savais pas si les flics gardaient un œil sur moi. Alors, j'ai fait profil bas.

— En te planquant dans un parc d'attractions pour enfants… Bien joué.

Comment expliquer à un homme sans cœur qu'il a fait ce choix pour sa famille, sans que cela fournisse à Pavelitch une arme redoutable contre lui ?

Léo lui lance un regard méprisant.

— Tu veux vraiment passer ta vie à coincer un steak et de la salade entre deux tranches de pain chez McDo ?

Victor hausse les épaules.

— C'est tout ce que j'ai pu trouver, mais j'aime bien ce job parce qu'il ne risque pas de m'envoyer en taule.

Agacé, Léo claque sa langue sur son palais.

— Pas à moi ! Je viens te proposer de quoi améliorer ton ordinaire, et le sien aussi, dit-il en montrant Milo. C'est vraiment un chouette gamin que tu as.

Victor sent la menace implicite. Il serre les dents.

— Pourquoi moi ? gémit-il.

Léo hausse les épaules.

— Le boss m'envoie pour te remettre dans le circuit, je m'exécute. Je ne pose pas de questions, Victor.

Victor vient de remarquer la silhouette d'Alexandra un peu plus loin. Elle approche avec des boissons et des gaufres pour le goûter. Léo suit son regard.

— Ta femme est mignonne.

Victor sent des gouttes de transpiration couler le long de son dos.

— Je suis désolé de ne pas pouvoir accepter ton offre, mais j'ai payé ma dette à la société. Je suis clean à présent.

Léo ricane.

— Tu es tout sauf ça, Victor. Tu es un tueur et rien ne peut changer ça.

Victor lui lance un regard inquiet. Léo sourit.

— Prends ma carte et appelle-moi quand tu accepteras cette réalité.

Victor ne bouge pas. Léo la lui met de force dans la main.

— Te souviens-tu de ce casse pendant lequel tu as abattu un vigile, Victor ?

Alexandra est toute proche à présent. Léo se lève.

— Ça serait dommage que la police reçoive la preuve de ta culpabilité, non ?

Victor est sonné.

— Pourquoi Pavelitch ne fait pas appel à quelqu'un d'autre ? Je n'ai plus de contacts, rien… Je dois rester dans le coin pour mon contrôle judiciaire.

Léo se retourne.

— Ne fais pas le modeste, Victor. Tu sais parfaitement que pour ce genre de job, tu es le meilleur.

Victor secoue la tête.

— Pitié, Léo… Dis-lui de me laisser tranquille.

Léo s'éloigne.

— Ta vie lui appartient, Victor. Et si tu fais mine de l'oublier, ta famille pourrait payer les pots cassés à ta place.

Victor regarde les cinq hommes sortir du parc. Puis il se passe la main sur les yeux.

— Ça va, Victor ?

Alexandra le dévisage avec inquiétude.

— C'était qui, ces gars ?

Il soupire et se force à sourire.

— Rien de grave.

Elle fait mine d'insister, mais Milo les rejoint en courant et se jette sur le banc.

— Ouais ! Des gaufres !

Il récupère son goûter pour le dévorer avec enthousiasme.

Victor observe sa famille avec un pincement au cœur. S'il ne cède pas au chantage d'Anton Pavelitch, il plongera pour meurtre et retournera en prison. S'il accepte, il devra leur mentir à nouveau pour redevenir un voleur. Il les protégera, certes, mais en bafouant toutes les promesses qu'il a pu leur faire depuis sa sortie de prison.

— Après, je veux retourner dans les jeux gonflables ! exige Milo.

Alexandra approuve en riant.

— Si tu veux. Tu viens, Victor ?

Il lève les yeux vers elle avant de les suivre, la mort dans l'âme.

Victor gare sa moto Triumph 1050 Speed Triple devant la maison. Il a prévu de se reposer un peu entre ses deux services. C'est fou ce qu'un travail honnête peut être crevant…

Avec un petit sourire, il ouvre la boîte aux lettres et récupère le courrier. Il regarde distraitement la provenance des enveloppes et trie les pubs quand il heurte quelque chose avec son pied.

Ses yeux se posent sur une petite boule de poils sanglante. Il met quelques secondes à comprendre, grâce à la couleur du pelage, qu'il s'agit du chat de Milo. Après des mois de forcing et de suppliques, Alexandra et lui ont accepté de lui offrir un chaton pour ses huit ans.

L'animal n'est pas rentré hier soir. Et pour cause…

Léo vient de passer au niveau supérieur.

Choqué à la vue du petit cadavre lacéré, Victor reste immobile. Puis il se secoue. Milo doit sortir de l'école dans une heure à peine. Il doit tout faire disparaître.

Armé d'une pelle et d'un sac-poubelle, il récupère le cadavre et l'enterre au fond du jardin. Il marque l'emplacement avec quelques cailloux pour Milo.

Il a juste le temps de se laver les mains et de courir pour récupérer son fils devant les grilles de l'école.

Dès qu'il l'aperçoit, Victor lui sourit avec un de ces sourires d'adulte préoccupé qui ne vont pas jusqu'aux yeux. Il y a le chat, bien sûr, mais il veut s'assurer que son gosse reste vigilant à cause de ce fou de Léo qui traîne dans le coin. L'estomac de Victor se serre à cette simple pensée. Il imagine le corps de son fils aussi lacéré et brisé que celui du chaton. L'idée le révulse.

— Ça va, papa ?

Victor soupire.

— En fait, pas trop.

La bouche de Milo se tord en une moue inquiète.

— Tu repars en prison ?

Victor marque un arrêt. Le traumatisme qu'il a fait subir à son fils est encore si présent en lui, si vivace et chargé en émotion que Victor ressent un énième pincement de culpabilité à cette idée.

— Non ! Pas du tout.

Il prend une inspiration.

— Il s'agit de ton chat. Il…

Reculer est la pire des options.

— Il a été écrasé par une voiture.

La bouche de Milo se met à trembler et il éclate en sanglots. Victor le comprend. Cela faisait à peine une semaine que le matou était à la maison, mais lui et Milo étaient déjà inséparables.

— Je suis désolé, mon lapin. Les accidents arrivent.

Il manque de s'étouffer avec son mensonge.

Quand Alexandra rentre à la maison, ils ont toutes les peines du monde à le consoler et à le mettre au lit.

— Tu crois qu'on doit prendre un autre chat ? demande Alexandra en venant le rejoindre sur le canapé.

Et donner une nouvelle chance à Léo de faire du mal à son fils ?

— Non !

Elle lui lance un regard étonné.

— Pas dans l'immédiat, tempère-t-il. Il doit faire le deuil de cet animal avant qu'on en reprenne un autre.

— Tu l'as enterré très vite. Il aurait peut-être fallu qu'il le voie.

Victor secoue la tête.

— Je t'assure que ça n'aurait pas été une bonne chose, vu l'état de la pauvre bestiole. Milo va s'en remettre, ne t'inquiète pas.

Victor observe la carte que Léo lui a confiée. Que doit-il faire ? Depuis leur rencontre au parc, leur chat a été tué, et les pneus de leur voiture, crevés. Pour le moment, il gère la situation grâce à des paroles réconfortantes et du fric pour réparer les dégâts matériels. Malheureusement, Victor sait qu'un gars comme Léo est sans limites. Ce n'est que le début. La pression va monter petit à petit jusqu'à devenir insupportable, jusqu'au moment où le seul choix possible sera de céder.

Victor range la carte dans son portefeuille. Certaines situations paraissent inextricables. Il n'en est pas encore au point de rupture et il espère toujours un miracle. Et si Pavelitch trouvait une autre poire pour accomplir cette mission ? Et si Léo mourait bêtement dans un accident ? Il passe sa main dans ses cheveux. Il peut toujours rêver. Plus il tarde et plus les sanctions seront lourdes.

Son téléphone portable se met à sonner.

— Allô ?

Il entend un bruit de voiture et des sanglots.

— Alexandra ?

— Oh ! Victor ! J'ai eu si peur !

Son cœur sombre.

— Que s'est-il passé ? s'inquiète-t-il.

— Un type nous est rentré dedans sur l'autoroute et nous a projetés sur une autre voiture. J'ai réussi à me mettre en sécurité sur la bande d'arrêt d'urgence. Mais… j'ai provoqué un carambolage.

— Vous allez bien ?

— Milo est un peu secoué, mais ça va. Je dois faire une déposition pour la police parce qu'il y a des blessés dans un état grave, sanglote-t-elle.

— Dis-moi où vous êtes. J'arrive tout de suite.

Elle le lui dit. Victor saute sur sa moto pour rejoindre Alexandra au commissariat. Il reste à ses côtés et écoute le récit de cette voiture qui l'a délibérément heurtée.

— Avez-vous pu lire sa plaque minéralogique ?

— Tout s'est passé si vite. Je n'ai pas eu le temps…

Elle explique ensuite comment la voiture qu'elle n'a pas pu éviter s'est retrouvée en travers de deux voies avant d'être percutée à son tour par le flot des véhicules.

Au bord de la nausée, Victor s'excuse et s'éclipse un instant. Il sort la carte de sa poche et compose le numéro inscrit dessus.

— Léo ?

— Victor ! Ça me fait plaisir de t'entendre ! Comment ça va ? le nargue l'autre.

— Espèce d'enfoiré ! Tu as…

Léo le coupe.

— Ne le prends pas sur ce ton-là, ils n'ont rien. Et tu sais comme moi que si j'avais eu pour ordre de les tuer, ils seraient déjà morts. Ça viendra peut-être, cependant… Alors, quand vas-tu te décider ?

Les épaules de Victor s'affaissent. La menace ultime vient de tomber. Ses yeux se remplissent de larmes à l'idée de trahir Alexandra et son fils.

— OK, mais juste pour un coup.

Léo se met à rire.

— Victor, ne sois pas stupide ! Tu n'es pas en mesure d'exiger quoi que ce soit.

Victor serre le téléphone entre ses doigts avec l'envie de l'exploser sur le sol.

— J'ai un job, des horaires à respecter. Je ne peux pas m'absenter sans qu'Alexandra soit au courant de ce qui se passe. Je ne suis pas sûr de pouvoir la contrôler si elle apprend quoi que ce soit.

Léo soupire.

— Elle a l'air casse-couilles, ta nana. Si tu veux, je la bute pour te rendre service !

— Non ! supplie Victor.

— T'es à cran, dis donc ! Je rigolais…

Pourtant, ils savent tous les deux que Victor a perdu sur toute la ligne. Il est baisé dans les grandes largeurs.

— Donc, on est d'accord sur le fait que ton boulot, c'est pas mon problème ? triomphe Léo.

Victor déglutit. Sa première tentative de concilier ses deux vies a lamentablement échoué à une époque où il était beaucoup plus libre de ses gestes et de son emploi du temps. Il va dans le mur, il le sait.

— Je…

— J'ai été patient avec toi, Victor, mais il me reste des tas de façons de te mettre la pression, jusqu'au point où tu viendras ramper devant moi pour que je te le file, ce boulot.

— Dis-moi juste où je dois aller.

Cette capitulation a la saveur aigre de l'échec.

Léo traverse les gradins de sa démarche féline. Autour de lui, les gens observent calmement les échanges de balles, sans se douter qu'un prédateur rôde parmi eux. Soudain, le favori du match marque le point et une salve d'applaudissements s'élève. Quelques échanges de paroles plus tard, un silence quasi complet revient. L'autre joueur sert et les coups de raquette reprennent à intervalles réguliers.

Léo arrive en vue de la loge privée où il est attendu. Il adresse un salut discret à un homme debout près de l'entrée. Le type, un chauve baraqué en costume sombre, s'écarte avec un petit signe de tête respectueux. Léo passe devant lui et plusieurs autres gardes du corps postés entre la porte et le boss.

Anton Pavelitch est assis entre deux superbes créatures portant des vêtements si courts et serrés qu'ils ne laissent plus rien à l'imagination. Léo ne peut retenir un petit claquement de langue agacé. Anton doit avoir oublié que c'est à cause d'une nymphette de ce genre que Victor a plongé.

Anton Pavelitch doit avoir la petite cinquantaine. Impitoyable, redoutable, il dirige son organisation d'une main de fer. Grand, bronzé, son corps reste aussi affûté que quand Léo l'a connu dix ans plus tôt. La seule différence réside dans sa crinière de cheveux poivre et sel lissée en arrière.

Dès qu'il remarque sa présence, Anton tend la main vers lui.

— Léo ! Approche.

Il claque des doigts et les deux filles se lèvent sans un mot. Elles vont s'asseoir plus loin, hors de portée de leur discussion.

— Bonjour, monsieur Pavelitch.

— Où en es-tu avec Victor ? attaque-t-il sans transition.

— Il a déjà braqué trois bijouteries de la banlieue parisienne avec son groupe.

Pavelitch hoche la tête avec satisfaction.

— J'ai toujours su que ce type avait de l'or au bout des doigts. Parle-moi de son équipe.

Léo ne peut retenir un sourire amusé en imaginant le grand Victor Léman, le gars qui a failli lui piquer sa place de second, obligé de refaire ses preuves comme un débutant. S'il avait recontacté immédiatement Anton à sa sortie de prison ou s'il avait cédé tout de suite après leur rencontre au parc, il aurait sans doute eu droit à des hommes et des armes du clan, mais là…

— Il a réuni des types qu'il a connus en prison à Fleury.

Anton hausse légèrement les sourcils.

— Ah oui ?

— Il y a Simon Marvelle dont la spécialité est le car-jacking. Il leur sert de guetteur et de chauffeur. Ensuite, il y a Abdel M'Barak et Roberto Afonso qui sont tous les deux tombés pour cambriolage. Ils accompagnent Victor pendant les braquages. Le dernier membre du groupe, Moussa Dembélé, lui a été recommandé par Roberto Afonso qui avait déjà bossé avec lui. C'est lui leur pourvoyeur d'armes. J'ai fureté pour en trouver la provenance. Il s'avère que Dembélé a des contacts avec des réseaux salafistes.

Anton Pavelitch absorbe ces informations et leurs implications potentielles sans broncher. Léo le laisse aboutir à la conclusion logique que Victor est un has-been désespéré. Et en bon stratège, il ne le déçoit pas.

— Est-ce que si Victor se fait prendre, ils pourront remonter jusqu'à nous, cette fois ?

— Non. Aucun de ces types n'a l'envergure pour travailler pour vous, monsieur Pavelitch. Victor n'avait pas menti quand il m'a dit qu'il n'avait plus de contacts.

Pavelitch sourit froidement.

— Est-ce qu'il nous rapporte de l'argent ?

Les bijoux que Victor a volés sont tous d'excellente facture comme Léo s'en est rendu compte quand il a servi d'intermédiaire pour transformer leur butin en argent liquide.

— Oui, admet-il presque à regret.

— Je songe sérieusement à le réintégrer dans nos opérations.

Léo ne peut retenir une petite moue.

— Il y aura juste le problème de sa femme et de son fils à régler si vous voulez le remettre au pas.

Anton écarte la remarque d'un geste agacé.

— Je compte sur toi pour faire ce qu'il faut en temps voulu.

— Vous voulez que je les tue ?

— Ne sois pas stupide ! Si tu agissais ainsi, Victor préférerait mourir plutôt que de bosser pour moi. D'après ce que tu m'as dit, il est prêt à tout pour qu'ils restent en vie. Nous allons donc les prendre sous notre protection, dans une de mes villas italiennes. Ils ne perdront pas au change…

Léo hoche la tête, même si l'énergie que met Anton à faire revenir Victor dans son giron le rend jaloux. Ça doit se voir sur son visage, car Pavelitch se met à rire et lui donne une petite tape sur la joue.

— Léo, voyons, reconnais que Victor est le meilleur dans sa partie. Il a réussi à donner de la cohésion à son groupe de bras cassés. S'il parvient à cinq braquages sans se faire prendre, tu lui confieras des hommes à nous.

En se regardant dans le miroir ce matin-là, Victor ressent le sentiment de dégoût envers lui-même qui ne le quitte pas beaucoup ces derniers temps. Non seulement il ment à sa famille et prend des risques qui pourraient le renvoyer en prison, mais en plus il apprécie cette partie de sa vie à laquelle il croyait avoir définitivement tourné le dos.

Après la trahison, son arrestation humiliante et la promiscuité de la prison, après les mois passés à trimer dans un job qu'il déteste et à regagner pas à pas le respect de son épouse, il peut s'enorgueillir d'avoir réussi, contre toute attente, à mettre sur pied un groupe efficace.

Il doit avouer qu'il n'y croyait pas des masses. La première opération avec eux lui a donné des sueurs froides. Pourtant, ils se sont fait pas mal d'argent grâce à leurs quatre braquages.

Ainsi, lui qui s'était juré de ne jamais replonger ressent à nouveau l'ivresse du danger, des succès faciles, et de tenir une arme et la vie des autres entre ses mains. Il pourrait bien se satisfaire à nouveau d'une double vie comme celle-là. Il a appris de ses erreurs passées et gère mieux ses absences. Alexandra ne s'est aperçue de rien. Il sourit faiblement à son reflet.

Aujourd'hui, ils doivent attaquer une bijouterie à Saint-Germain-en-Laye. Simon a déjà dû s'occuper de voler une voiture et Moussa de se procurer des armes. Ils sont rodés à présent. Ils savent tous ce qu'ils ont à faire.

Tout comme lui qui doit se dépêcher s'il ne veut pas arriver après la bataille… Victor monte sur sa moto et roule jusqu'à la cité de la Grande Borne. Simon est garé dans une ruelle dans laquelle personne, et surtout pas la police, n'ose plus s'aventurer. Ils y louent un box, en liquide, dans lequel ils stockent le matériel et les véhicules avant de les utiliser puis de s'en débarrasser. Quelques minutes plus tard, les trois autres arrivent.

Il est fier de voir que la notion de timing qu'il leur a inculquée à force de rabâchage est bien entrée dans leurs habitudes.

Ils s'entassent dans le véhicule et Simon les conduit jusqu'à leur cible. En chemin, ils se projettent et évaluent le fric qu'ils vont se faire. Ils sont confiants et détendus. Seul Moussa reste anormalement silencieux.

— Ça va, Moussa ? s'inquiète Victor.

— Ouais… je suis juste nerveux comme à chaque fois, élude-t-il.

Un bref instant, Victor se demande s'il doit insister, avant de renoncer. Il préfère leur répéter une dernière fois la configuration des lieux et le plan. Quand ils se garent devant la boutique, ils sont déjà équipés et prêts à passer à l'action.

— On y va !

Ils ouvrent les portières, mais ont à peine le temps de faire quelques pas avant d'entendre des hurlements. Des agents du RAID surgissent de tous les côtés.

— Mettez les mains au-dessus de vos têtes ! Vite !

— Lâchez vos armes !

Les ordres fusent de toutes parts. Victor a envie de tirer dans le tas, juste pour dire qu'il a résisté et peut-être avoir la chance de se faire tuer plutôt que de retourner en prison.

Et soudain, la réalité s'abat sur lui avec la force d'un raz de marée. Que vont devenir Alexandra et Milo ? Comment va réagir son fils s'il disparaît à nouveau de sa vie ?

Avec désespoir, il voit les autres jeter leurs Uzi hors de portée et s'allonger sur le sol. Simon pousse un cri alors que deux agents le plaquent contre le capot, les mains sur la tête.

C'est fini. Il ne reste que Victor sur qui tous les canons sont dirigés à présent. Lutter ? Mourir ? Se rendre ? Vivre ?

Avec un soupir, il finit par obéir. Alors qu'un policier lui braque un flingue sur la tête, il se demande comment tout a pu si mal tourner.

À une centaine de mètres de là, attablé à une terrasse de café, Léo a assisté à la scène. Il sourit froidement en s'éloignant des lieux.

Tout en marchant, il sort son téléphone portable de sa poche et compose un numéro.

— Monsieur Pavelitch ?

— Oui, Léo.

— Victor vient de se faire arrêter.

Il capte le silence déçu de son interlocuteur.

— Que s'est-il passé ?

— Je vais me renseigner si vous le voulez.

— Hum… Ça ne sert plus à rien.

Il raccroche. Léo rejoint sa voiture.

Personne ne devra savoir que c'est lui qui a dénoncé le trafic de Moussa Dembélé avec les salafistes. Une fois sous surveillance, ce n'était qu'une question de temps avant que ses différentes combines tombent et qu'il entraîne ses camarades de braquage dans sa chute.

Léo ne pouvait pas se permettre de voir Victor revenir empiéter sur ses plates-bandes. Ce petit ambitieux arriviste et surdoué était à deux doigts de réussir et de réintégrer l'organisation. Or il avait bien failli mettre Léo sur la touche la dernière fois.

Léo a dû agir. Il enfile ses lunettes de soleil et se retourne pour observer la déchéance de son rival. Les policiers lui passent les menottes. Après une fouille rapide, ils le font monter dans un véhicule blindé et démarrent en trombe.

La rue retrouve son calme, comme si le brillant Victor Léman n'avait jamais existé.

— Madame Léman ?

Il y a bien longtemps que l'école ne l'a pas appelée ainsi sur ses heures de travail. Le cœur d'Alexandra s'emballe.

— Oui ?

Elle déteste son ton geignard, comme celui de quelqu'un qui se prépare à recevoir un coup.

— Je vous contacte, car il y a un souci.

— Milo va bien ?

— Oui ! Oui ! Ne vous inquiétez pas. Votre mari n'est pas venu chercher Milo à la sortie de l'école. Je suis juste surprise que personne ne m'en ait informée. Y a-t-il eu un problème ?

— Victor n'est pas venu chercher Milo ?

— Non.

— Où est mon fils ? s'inquiète Alexandra.

— Je ne laisse partir les enfants que quand je repère les parents devant l'école, s'explique la maîtresse. En ne voyant pas votre mari, j'ai attendu au cas où il serait simplement en retard. J'ai fini par inscrire votre fils au centre. Vous pourrez l'y récupérer ce soir.

Alexandra soupire de soulagement.

— Merci.

Dès qu'elles ont raccroché, Alexandra tente d'appeler Victor. Elle tombe directement sur sa messagerie. Elle appelle sur son lieu de travail et le demande. On finit par lui passer le manager du restaurant.

— Votre mari ? Non, il n'est pas là. Il a pris un énième jour de congé sans solde.

— Que voulez-vous dire ?

— Je veux dire que Victor a été très souvent absent ces derniers temps. Je lui ai laissé sa chance, malgré son passé, mais actuellement, je dois le faire remplacer en permanence. Si cela devait durer, je devrais employer quelqu'un d'autre.

La mort dans l'âme, Alexandra se connecte sur Internet et regarde l'actualité en ligne. Son cœur se serre en découvrant que des braqueurs ont été arrêtés aujourd'hui en banlieue parisienne.

Elle s'isole afin de téléphoner à maître Courrège. Il décroche au bout de trois sonneries. Elle entend des conversations et des pas pressés en bruit de fond.

— Bonjour maître.

— Madame Léman ?

Elle a la sensation qu'il attendait son appel.

— Je suis désolée de vous déranger, mais Victor ne s'est pas présenté à la sortie de l'école pour récupérer notre fils et il n'était pas à son travail non plus. Je viens de vérifier et j'ai vu qu'un groupe de braqueurs a été arrêté… je me demandais si…

Elle a retrouvé une voix douce, loin du tranchant dont elle faisait preuve lorsque Victor Léman était à Fleury. Cela le chagrine d'endosser le rôle du messager qui va rouvrir toutes ses plaies. Il soupire.

— Il s'agit bien de lui.

— Oh…

— Je suis désolé.

Elle encaisse la nouvelle.

— Combien d'années de prison risque-t-il cette fois ?

Elle n'aura pas mis longtemps avant de renfiler sa carapace.

— Beaucoup plus puisqu'il est récidiviste.

— Pouvez-vous…

— Madame Léman, je vous arrête tout de suite. Je ne serai pas chargé de l'affaire.

— Pourquoi ? demande-t-elle avec incrédulité.

Il hésite un instant avant de parler.

— J'ai reçu d'autres ordres.

— Des ordres ? De la part de qui ?

— De celui qui a payé la première fois…

Elle ne semble pas comprendre tout ce que la consigne de Pavelitch implique.

— Cela signifie que cette fois vous devrez trouver un autre avocat et que les frais seront à votre charge, lui explique-t-il dans un souffle.

Les jambes d'Alexandra se mettent à trembler violemment.

— Qu'est-ce qui a changé par rapport à la dernière fois ?

— Moins vous en saurez, mieux cela vaudra pour vous. Je vous assure.

Elle sent les larmes couler sur ses joues.

— Je ne sais même pas vers qui me diriger, ni comment je vais pouvoir payer…

Elle l'entend soupirer.

— Je vais vous donner le nom d'un confrère.

Elle note les coordonnées qu'il lui transmet et le remercie avant de raccrocher.

Au moment où elle s'apprête à composer ce numéro, elle est prise d'un brusque sursaut. Elle a toujours su où allait sa priorité : sa famille. Or Victor vient de démontrer qu'il ne souhaitait pas en faire partie. Il vient de les trahir une seconde fois et de la pire des manières. Il s'est bien foutu de sa gueule avec toutes ses belles promesses vides de sens !

Pourquoi devrait-elle payer pour lui ? Il connaissait les risques, pourtant il n'a pas hésité à lui mentir et à reprendre sa vie de voyou ! Elle ne veut plus rien avoir à faire avec lui.

Soudain, son sang se glace à la pensée de la réaction de Milo.

NAUFRAGE
2009

— Je ne comprends pas ce qui a pu se passer. Il a piqué une crise et a jeté un caillou contre une fenêtre. Il a évité de peu la tête d'un petit, mais il a surtout eu beaucoup de chance que les bris de verre ne blessent personne.

Alexandra baisse la tête. Sa posture défaite montre à quel point elle est dépassée par la rechute de Milo.

— Il a également frappé plusieurs camarades au cours de la journée. Les enfants se plaignent de lui.

Une larme coule en silence sur la joue d'Alexandra.

— Je suis désolée.

Elle a rendu visite à Victor en prison. Juste une fois. Elle voulait lui annoncer en face qu'il pouvait tirer un trait définitif sur eux. Il a essayé de lui expliquer qu'il avait pris le risque de retourner en prison pour les protéger. Sourde à ses excuses, elle a ajouté que puisqu'il avait besoin d'argent sale pour son bonheur, il devrait s'en contenter pour payer sa défense. Elle ne dépenserait pas un centime pour lui, pas alors qu'elle allait de nouveau devoir se serrer la ceinture pour payer des séances chez le psy de Milo et subir toute cette merde.

Et dire que tout allait si bien avant que Milo se retrouve seul à la sortie de l'école.

— Je fais tout ce qu'il faut pour que la situation s'améliore...

Malheureusement, certaines décisions subissent des délais incompressibles. Retrouver un créneau dans le planning de la psy de Milo compatible avec un emploi à plein temps de salariée relève du challenge. La première disponibilité ne se présente que dans deux interminables semaines. Sans compter que même si Alexandra a confiance en elle, car elle l'a déjà vue à l'œuvre, Mme Marloux ne va pas résoudre le problème en une seule séance. Et en attendant, les reproches, les appels et les regards noirs seront pour elle.

— Que s'est-il passé pour que votre fils replonge ainsi dans ses anciens schémas ?

Alexandra soupire.

— Son père est retourné en prison.

— Oh...

Milo refait des cauchemars. Il ne dort presque plus. Il est de nouveau triste et renfermé. Cela brise le cœur de sa mère. Elle en est malade d'angoisse.

— Est-ce que je peux faire quelque chose pour vous aider ? demande l'enseignante.

Alexandra se souvient des regards terribles des maîtresses et des animateurs du centre, des regards qui signifiaient clairement qu'ils auraient préféré que son fils soit malade ou plus si cela pouvait les débarrasser de ce môme encombrant et ingérable. Tout plutôt que d'avoir à supporter ses colères et ses crises un jour de plus.

— Milo va avoir besoin de soutien. La dernière fois, il a été rejeté par tout le monde et...

Alexandra éclate en sanglots. La maîtresse lui tapote maladroitement l'épaule.

— Je saurai faire la part des choses.

Alexandra essuie ses yeux en soupirant. Elle aime cette réponse, pourtant elle ne peut s'empêcher de se demander combien de temps tiendra ce vœu pieux…

Milo pénètre dans l'école aux côtés de sa mère. Il jette un coup d'œil vers elle et constate que des cernes profonds marquent son joli visage et lui donnent l'air beaucoup plus âgée qu'elle ne l'est en réalité.

Il voudrait la soulager, mais il ne parvient pas à contrôler ses sautes d'humeur. Elles surviennent sans prévenir et l'engloutissent dans un trou noir. Quand il reprend les commandes, il est toujours trop tard. Le mal est fait. Il se mord les lèvres, rongé par la culpabilité et la honte.

Depuis que son père a été arrêté, Milo ne parvient plus à faire la part des choses, il est toujours dans l'excès. Il ne lui pardonne pas de lui avoir menti alors qu'il lui avait promis qu'il ne retournerait jamais en prison et qu'il resterait auprès de lui. Sa trahison a ranimé cette colère aveuglante qui empoisonne le cœur de Milo parce que celui-ci a brutalement compris que pour son père, il a moins de valeur que les vols, l'argent, la violence et le danger.

Rongé par la certitude qu'il ne vaut rien, il fait des bêtises. Et même si elles ne sont pas toutes graves, la patience des adultes s'amenuise de jour en jour et sa mère doit encaisser toujours plus de reproches.

Elle lui plaque un baiser rapide sur la tempe.

— Sois sage aujourd'hui.

Il entend la supplique dans sa voix usée et la perçoit aussi dans son regard anxieux.

Il voudrait la rassurer et lui dire qu'aujourd'hui tout ira bien, mais il sait qu'il ne peut pas faire ce genre de promesses.

— Je vais essayer.

Elle ferme les yeux brièvement sous l'effet de la déception, puis elle s'éloigne de lui. Il sent la peur qui s'accroche à chacun de ses pas même une fois qu'elle a franchi le portail.

Seul. À présent, il est seul. Il regarde autour de lui. Les autres lui jettent des regards en coin. Cela l'agace. Ils le montrent du doigt et se racontent entre eux ses derniers dérapages, ceux dont ils sont pour partie responsables.

Milo baisse la tête. Ils ont bien compris qu'il est fragile et réagit au quart de tour. Ils le savent parfaitement, pourtant ils le titillent en permanence, jouent sur ses faiblesses et contemplent ensuite le spectacle. Ils se régalent de le voir en difficulté.

Avec eux, chaque jour est un défi, un parcours d'obstacles grandeur nature.

Milo s'assoit dans un coin à l'écart et personne ne l'y rejoint. Les parents de ses derniers amis leur ont donné la consigne de ne plus jouer avec lui. Il a une trop mauvaise influence, d'après eux.

C'est d'autant plus dur d'arriver à l'école en se demandant chaque matin si aujourd'hui il va faire tapisserie ou être un enfant comme les autres.

— Salut Milo.

Il lève les yeux sur Thibault. Génial…

Ce gosse est deux fois plus givré que lui, et par conséquent tout aussi désespérément seul. Leur situation de brebis galeuses les réunit bien plus souvent pour le pire que pour le meilleur. Face aux moqueries, ils s'entraînent l'un l'autre, accentuant mutuellement leurs pires défauts.

Sa mère n'aimerait pas les savoir ensemble, malgré cela, Milo se lève.

— Salut.

La matinée se passe plutôt bien. Milo arrive confiant à la cantine. Pourtant David, le responsable des animateurs sur le temps de cantine, le retient quand il passe devant lui.

— Après ce que tu as fait hier, je veux te garder à l'œil. Tu mangeras seul à cette table.

Seul et face à tous les autres. Pour Milo, c'est l'humiliation suprême. Cette punition publique et, surtout, décorrélée de la faute commise est injuste. Elle marque encore plus la séparation entre lui et les autres.

Il en pleurerait. Quand il sort de la cantine, il est si contrarié qu'il bouscule un CP. Le gosse tombe et se fait mal. Milo passe le reste de la récré assis à côté d'un animateur.

Pendant l'après-midi, il entend vaguement que la maîtresse parle. Pourtant, il est envahi par la certitude qu'une nouvelle fois sa mère va crouler sous les reproches. L'angoisse gonfle. Elle prend toute la place dans son corps et dans sa tête. Il veut tellement ne pas la décevoir, et pourtant il échoue à chaque fois.

— Milo ? Je t'ai posé une question.

Il soupire.

— Je n'ai pas entendu.

— Sans doute parce que tu n'écoutais pas, le cingle-t-elle avec un soupçon d'agacement dans la voix.

Les autres se mettent à ricaner. Milo serre les dents. Après une moue de renoncement, la maîtresse se désintéresse de lui et interroge un autre élève.

À la sortie de la classe, Thibault le rejoint en courant.

— Tu aimerais que je sois ton copain pour toujours ?

Pour toujours quels que soient ses actes ? Ça fait rêver Milo. Il hoche la tête avec espoir.

— Tu as deux choix, annonce Thibault. Tu m'apportes des bonbons demain matin, ou alors…

— Des bonbons ?

Il n'y en a pas à la maison. Il a remarqué que quand il voit sa psy, maman est beaucoup plus regardante sur ce qu'elle achète. Les bonbons font partie du superflu qu'elle élimine en premier. Déçu, il baisse la tête.

— Je n'ai pas d'argent pour t'en acheter.

Thibault soupire. Il observe le décor, à la recherche d'une bêtise à faire. Il pointe son menton vers une chaise posée contre un mur.

— Sinon, tu pourrais jeter cette chaise dans l'escalier. Pour voir…

C'est sûr que c'est une mauvaise idée, mais Milo a-t-il le choix ? Il attrape le siège et le pousse dans l'escalier. Il rebondit sur les marches en produisant un boucan d'enfer. Tétanisés, les deux gosses reculent. Une main se pose sur leur épaule.

— Je vous emmène dans le bureau de la directrice, immédiatement !

Quand ils arrivent en bas, tout penauds, un gosse assis par terre pleure. Un animateur agenouillé à ses pieds tente de le consoler. Il se tourne vers eux avec humeur.

— La chaise l'a heurté et l'a fait tomber dans l'escalier. Vous auriez pu lui faire très mal !

Quand Alexandra arrive à l'école, la boule au ventre, un animateur lui explique la série d'incidents qui a émaillé la journée, le summum étant la chute de l'enfant dans les escaliers. Il y a eu plus de peur que de mal, mais le geste était très grave et aurait pu avoir des conséquences dramatiques.

Alexandra n'a pas assez de mots pour s'excuser et dire qu'elle va le punir. Honteuse, elle ne regarde même pas Milo quand ils sortent de l'école et traversent le sas de sortie pour rejoindre le trottoir.

— Excusez-moi.

Surprise, Alexandra relève la tête. Une femme en tailleur s'approche d'elle.

— Je suis la maman d'Élodie Quernon.

Alexandra prend une attitude défensive, mais ne dit rien, se préparant juste au pire.

— Je voudrais comprendre pourquoi votre fils tape ma fille.

Milo lève des yeux outrés vers sa mère, mais le regard noir qu'elle lui lance le dissuade de parler. À quoi bon lui expliquer que la fameuse Élodie, planquée derrière les jambes de sa mère et bien contente de le voir dans cette situation, le cherche en permanence ?

— Milo ? Tu vas arrêter, n'est-ce pas ? le gronde Alexandra.

Il baisse la tête.

— Excuse-toi immédiatement, insiste-t-elle.

— Je te demande pardon.

Excédée, humiliée, Alexandra le rabroue.

— Pas comme ça ! Regarde-la. Parle plus fort.

Sa voix monte dans les aigus. Il lui jette un regard inquiet avant de céder.

— Pardon, Élodie.

La mère de la petite leur lance un regard sévère.

— Maintenant, je compte sur vous pour que ça ne se reproduise plus jamais !

La colère d'Alexandra s'emballe d'un seul coup.

— Votre fille a peut-être été livrée avec une télécommande, mais ce n'est pas le cas de mon fils ! Je fais ce que je peux pour changer son comportement et c'est assez difficile comme ça sans avoir à recevoir d'ordres de votre part !

Sans un regard en arrière, elle attrape la main de Milo et l'entraîne vers la maison. Ils ont fait quelques pas quand elle se met à sangloter.

— Maman…

Elle le lâche.

— Tais-toi, Milo. J'ai tellement honte ! Tu ne peux pas savoir…

Dès qu'ils ont passé la porte de leur maison, elle se jette sur lui. Ses doigts se referment sur ses épaules.

— Mais qu'est-ce qui te prend ? Putain de merde ! Tu aurais pu tuer ce gosse ! Tu t'en rends compte ? Tu veux finir comme ton père ? En prison ?

Terrifié par ces mots, il se met à pleurer.

— Non, maman.

— Alors pourquoi as-tu fait ça, si tu connaissais les risques ?

Il baisse les yeux, bien conscient de la nullité de son excuse.

— Quelqu'un m'a demandé de le faire.

— Et il ne t'est pas venu à l'esprit de dire non ?

Et repousser ainsi la seule personne qui accepte encore de jouer avec lui ? Il hausse les épaules sans s'engager.

— J'en peux plus, Milo. Je n'en peux plus !

Elle le secoue et bientôt ce geste ne lui suffit plus pour évacuer sa colère. Elle le gifle. Une fois, deux fois, trois fois. Elle frappe, frappe pour évacuer sa fureur, son désespoir, sa déception et son humiliation.

Milo lève les bras devant lui. Il finit par se rouler en boule sur le sol pour échapper à la pluie de coups qui s'abat sur lui.

Alexandra se rend subitement compte de ce qu'elle vient de faire et suspend son geste.

— Oh ! Milo ! Pardon ! Pardon !

Vidée, elle s'effondre et se met à pleurer à côté de lui.

— Tu me rends folle ! Je voudrais tellement qu'on puisse avoir une vie normale… J'en peux plus de tout ça !

Il se redresse en pleurant lui aussi.

— Pardon, maman ! Pardon !

Elle ouvre ses bras et il se glisse contre elle.

— C'est moi qui suis désolée. Je suis à bout, Milo. Il faut que tu m'aides parce que sinon je ne tiendrai pas.

Pour lui faire oublier son coup de sang, elle lui prépare des frites et accepte qu'il regarde un dessin animé. Quand Milo va se coucher, elle se sent toujours aussi coupable.

Elle soupire et récupère un paquet de cigarettes caché dans le tiroir de la console de l'entrée. Elle l'a acheté après la seconde arrestation de Victor, histoire de passer ses nerfs quand la tension se fait trop forte. Elle sait que c'est débile, d'autant qu'elle n'a pas les moyens financiers d'assumer ce « passe-temps ». Avec un soupir, elle sort de la maison.

L'air est frais, mais cela ne la dérange pas. Elle s'assoit sur la première marche en pierre de l'allée et allume sa cigarette. Tout en fumant les yeux dans le vague, elle en vient à se demander si elle sera capable de tout encaisser, si chaque jour ressemble à celui-ci.

C'est tellement injuste ! Tout allait bien avec son fils avant que Victor se remette à déconner. Pourtant aujourd'hui, le destin dramatique de Milo semble tout tracé. Son père a foutu sa vie en l'air en le marquant du sceau de l'infamie. Elle ressent une bouffée de haine familière à cette pensée.

Si seulement elle n'avait pas accepté son retour à la maison. Milo irait peut-être mieux aujourd'hui. Il aurait sans doute commencé à accepter l'absence de son géniteur…

Tant d'idées et de questions la rongent en permanence. Jour après jour, elle perd toute confiance en elle alors qu'elle avait l'impression d'être une bonne mère avant tout ça.

La boule d'angoisse dans son ventre grossit au point de menacer de l'étouffer. Comment faire cesser radicalement la souffrance ? Elle se sent tellement impuissante face au néant de possibilité qui s'offre à elle. Seule l'idée de la mort lui donne un semblant d'espoir, parce que mourir, c'est mettre un terme à tout cela de façon définitive, pour Milo et elle.

Pendant un instant, elle envisage cette option avec envie. Dans le néant, il n'y aura plus cette sensation sourde qui lui vrille l'estomac et la détruit à petit feu.

Elle est en train de se demander comment faire ça proprement et sans douleur, quand elle réalise soudain le chemin pris par ses pensées. Elle se ressaisit. Révulsée par le marasme qui parvient à se frayer un chemin en elle, terrifiée parce qu'un jour elle n'aura peut-être plus la force de repousser le désespoir, elle se remet à pleurer.

Une voiture passe dans la rue et quelqu'un se gare devant la maison voisine. Franck en sort. Il la remarque immédiatement.

— Alexandra ?

Il hésite avant de s'approcher, pas certain qu'elle ait envie qu'il la voie dans cet état.

— Ça va ?

— Pas vraiment.

Ses lèvres se mettent à trembler et ses larmes coulent à nouveau.

— Dis-moi ce que je peux faire, demande-t-il.

Il s'assoit à côté d'elle et passe une main sur son épaule. Les digues lâchent. Elle lui raconte son enfer quotidien : les frasques de Milo, sa solitude, son épuisement. Il l'écoute sans broncher. Quand elle ferme la bouche, il la serre étroitement contre lui. C'est si réconfortant de sentir sa présence à ses côtés, même si elle n'est qu'éphémère.

Elle lève les yeux vers lui et lui lance un regard reconnaissant.

— Merci de m'avoir écoutée.

Il observe ses lèvres un instant avant de se pencher pour l'embrasser.

Elle frissonne à son contact. Il y a tant d'années qu'il n'y a que Victor. Cet enfoiré de Victor qui a brisé sa vie.

Elle ne tente pas de se dérober à l'étreinte de Franck. Il a toujours été si gentil, si impliqué et prévenant avec elle.

Il s'écarte d'elle et murmure son prénom. Il pose sa main sur sa joue pour la caresser délicatement. Le geste est si intime qu'elle réalise soudainement qu'il devait attendre ce moment depuis très longtemps.

— Franck, je…

— Chut…

Il lui sourit. L'adoration qu'elle lit dans ses yeux lui fait soudain très peur. Comment a-t-elle fait pour ne pas percevoir cette évidence ? Doit-elle recadrer leur relation pour éviter les complications et ne pas risquer ainsi de perdre son seul véritable ami et soutien ?

— Je suis toujours mariée à Victor…, lance-t-elle avec maladresse.

Même à ses propres oreilles, cet argument sonne pitoyablement.

— Victor ? Cela fait combien d'années qu'il n'est plus qu'un fantôme dans ta vie ? argumente-t-il.

— Dans la mienne, peut-être, mais je ne veux pas perturber Milo encore plus qu'il ne l'est déjà. Son père compte tellement pour lui.

Le sourire de Franck se fane un peu.

— Tu n'éprouves rien pour moi ?

Il a toujours été là pour elle, elle lui doit beaucoup. Et son baiser ne l'a pas laissée insensible, loin de là. Pourtant, la raison l'emporte.

— Ce n'est pas toi ou moi, le problème.

Elle frissonne d'effroi à l'idée de la réaction cataclysmique de son fils si elle essayait de lui imposer Franck comme beau-père.

— Ton fils n'est pas obligé de le savoir, suggère-t-il en lui caressant la nuque.

Quelques minutes plus tôt, Alexandra envisageait le meurtre de son enfant et son suicide comme une option valide et enviable. Et là, elle est à deux doigts de céder à la proposition de Franck et de relancer sa vie dans une direction inattendue.

Il ne l'aidera pas à gérer le quotidien, mais s'il peut lui offrir son épaule et quelques heures d'oubli, ça serait bête de s'en priver.

— Et tu te contenterais de si peu ?

Il soupire.

— Je n'en sais rien, admet-il avec franchise.

Il y a un tel décalage dans leurs sentiments qu'elle commet sans doute une erreur en lui prenant la main pour l'entraîner chez elle.

Karine Drouard remplace pour quelques semaines la maîtresse de CM2 de Milo. Elle observe les enfants jouer dans la cour de récréation. Elle est attentive, car on lui a spécifiquement conseillé, à elle la nouvelle, de surveiller le petit Léman. Aussi, même si elle a beaucoup de peine pour lui, elle obéit.

Elle jette un œil sur le gosse, assis à l'écart sur un banc. Il fait mine de s'intéresser au vent qui joue dans les arbres, mais la vérité est triste à pleurer. Il est seul tout le temps.

Au fil des jours, elle a pu constater le manège des autres enfants qui lui tournent autour en le traitant de fou, de débile et de tas d'autres insultes qui le font bondir et commettre des erreurs. Elle les a vus marchander leur pseudo-amitié en échange de missions confiées à Milo. Des missions qui se terminent systématiquement mal pour lui. Elle a remarqué le harcèlement insidieux dont il est victime en permanence et qui façonne en retour son propre comportement puisqu'il ne connaît que ce genre de rapports biaisés.

Dans son cas, elle se demande si un changement d'école n'aurait pas été judicieux, mais le sujet n'a jamais été évoqué ni du côté de l'administration ni du côté de la mère, semble-t-il. Cet immobilisme, d'un côté comme de l'autre, est déraisonnable et néfaste. Pour le bien de l'enfant, ils auraient tous dû y penser il y a longtemps.

— Karine, est-ce que tu as téléphoné à Gilles pour la chorale ?

Karine discute quelques minutes avec sa collègue quand tout à coup, elle entend des hurlements.

Elle se retourne et aperçoit une maîtresse à genoux devant une petite fille. Un attroupement se trouve autour de la gamine qui semble suffoquer.

— Que s'est-il passé ? demande Karine avec inquiétude en les rejoignant.

Bien ennuyés, plusieurs garçons regardent leurs pieds. Elle se tourne vers Milo dont le regard affiche un fatalisme assez déstabilisant. La gosse en larmes finit par le montrer du doigt.

— C'est Milo…

Karine lui fait signe de la suivre à l'écart.

— Raconte-moi ta version des événements.

Il met ses mains dans ses poches et hausse les épaules.

— Milo, si tu n'as rien fait, je veux que tu me le dises…

Il lui lance un regard si surpris qu'elle se rend compte que personne dans cette école ne cherche plus à le croire, et ce depuis très longtemps.

— S'il te plaît, insiste-t-elle.

Il soupire, mais accepte de tenter l'expérience. Dans son regard, elle voit qu'il n'attend rien, pas même qu'elle le croit.

— Lilian voulait embrasser Tiphaine. Elle ne voulait pas, alors avec ses copains, ils ont décidé de l'obliger. Ils sont venus me chercher pour que je les aide à lui courir après.

Il marque une pause. Et elle comprend qu'il n'a pas voulu laisser passer cette occasion de jouer avec ses semblables.

— Quand on l'a rattrapée, Yanis et moi, on tenait chacun un côté de son écharpe. Et on la tirait pendant que les autres la poussaient.

— Le nœud s'est resserré et elle s'est étouffée…

— Oui.

Il regarde vers la petite qui se relève avec difficulté. Tout dans son attitude prouve qu'il est accablé, voire même apeuré.

— Pourquoi crois-tu qu'elle t'a désigné comme unique coupable ?

— C'est plus simple comme ça…

Après un dernier regard las, il retourne s'asseoir sur son banc.

Votre enfant a peut-être besoin de soins particuliers...

Alexandra serre les dents au souvenir de cette remarque vexante que lui a adressée une mère de famille devant l'école. Quand elle a été récupérer Milo ce soir-là, elle a entendu une petite fille raconter une histoire à sa mère. Quand elle a reconnu le nom de Milo au milieu du flot de paroles, elle a senti la chape de terreur coutumière s'abattre sur elle.

Milo s'est levé de la chaise où il était assis pour prendre ses affaires sur le portemanteau. Elle a lu dans son regard qu'elle allait encore passer un sale quart d'heure. Pourtant, personne n'a cherché à lui parler, alors elle n'a pas demandé son reste. Dès qu'ils sont sortis dans la cour et qu'elle a vu que la mère et la fille, aperçues tout à l'heure, l'attendaient devant le portail, elle s'est tournée vers Milo.

— Est-ce que je dois savoir quelque chose avant qu'elle me tombe dessus ?

Il lui a rapporté la scène avec la petite Tiphaine, ainsi qu'il l'a déjà fait avec la maîtresse. Alexandra aurait préféré éviter cette confrontation, mais elle a poursuivi son chemin.

Et le choc l'a laissée sans voix.

Faites enfermer votre fils dans un centre adapté. Il est dangereux...

Exit le fait qu'ils étaient une dizaine à chahuter la gosse.

— Vous avez l'intention, je suppose, de conseiller la même chose aux parents de l'enfant qui tenait l'autre côté de l'écharpe de votre fille ? Et aussi à ceux qui l'ont poussée ? Ah ! Et aussi au gamin qui a voulu l'embrasser de force ?

Tiphaine lance un regard à Milo.

— C'est lui qui m'a fait mal. C'est toujours lui de toute façon !

Le cœur d'Alexandra sombre. Sans un mot de plus, elle prend la main de son fils.

Trop, c'est trop ! Même quand il n'est pas seul à faire une bêtise, Milo est le seul coupable désigné.

Elle n'est pas sotte au point de penser son fils innocent, mais quand même !

Une fois à la maison, elle tente de discuter avec lui de son implication dans cet incident, de ce qu'il n'aurait pas dû faire, des gens qu'il devrait éviter de fréquenter, comme s'il avait encore le choix. La situation dégénère rapidement comme souvent ces derniers temps, car elle interprète l'abattement de Milo comme du je-m'en-foutisme et de l'insolence. Elle finit par le gifler. Par un effort de volonté phénoménal, sa patience s'amenuisant avec l'usure, elle retient les coups suivants.

— Tu es puni. Va te laver les dents et te mettre en pyjama. Je ne veux plus te voir.

Le plus dur est sans doute de le voir obéir sans discuter. Comme s'il savait que tous ses arguments étaient voués à tomber dans l'oreille d'un sourd.

Une fois qu'il est enfermé dans sa chambre, elle se met à pleurer. Elle éprouve encore dans sa chair l'humiliation brutale provoquée par les paroles de la mère de Tiphaine.

Alexandra se sent vidée, éreintée. Que peut-elle faire ? Milo n'est pas fou ni atteint d'une pathologie dangereuse !

Son fils est juste une pierre brute, un objet aux bords rugueux.

Comme elle aimerait avoir la capacité de raboter toutes les aspérités de la personnalité de Milo qui leur gâchent la vie. Oh oui ! Comme elle aimerait tailler à coups de hache tout ce qui dépasse pour que son fils rentre enfin dans le putain de moule de l'Éducation nationale !

Votre enfant a peut-être besoin de soins particuliers... Faites enfermer votre fils dans un centre adapté. Il est dangereux...

Quand elle raconte la scène à Mme Marloux, la psychologue de Milo, lors de la séance hebdomadaire de son fils, sa réponse est assez glaçante.

— Cela veut-il dire que Milo n'est pas tout le temps coupable de ce dont on l'accuse ? s'étonne Alexandra.

Mme Marloux soupire.

— Comment démêler le vrai du faux dans les récits des enfants ? Surtout quand ils tiennent un coupable tout désigné...

— Madame Léman, cela ne peut pas continuer ainsi ! Milo a encore tapé un camarade ce matin.

Par habitude, Alexandra plie. Le cœur lourd, elle encaisse les reproches. Ce n'est pas faute de tenter des choses, mais tout est voué à l'échec. D'ailleurs la dernière en date lui reste encore en travers de la gorge. Afin de raccourcir les journées de Milo et d'éviter les horaires de fin d'après-midi pendant lesquels son fils commet davantage de bêtises, Alexandra avait décidé de le retirer de l'étude et de la garderie. Elle a estimé qu'à dix ans, il pouvait rentrer seul à la maison.

Cependant, lorsqu'un soir, il l'avait presque suppliée de retourner à l'étude, elle avait cherché à comprendre ce brusque revirement. Il avait l'air si gêné et si terrifié qu'elle avait insisté et fini par découvrir que le père d'une fillette de l'école l'avait attendu à la sortie pour le menacer et le molester. Malgré tous les défauts de son fils, elle ne pouvait quand même pas le mettre en danger de cette façon… Elle l'avait donc remis au centre, et le cercle infernal avait repris.

Pourtant, elle se redresse soudain.

— Qu'avez-vous dit ?

— J'ai dit que ce matin…

Alexandra insiste.

— Ce matin. Vous êtes bien sûre de vous ?

L'animatrice lui lance un regard hautain.

— Évidemment, c'est marqué là, noir sur blanc. Il y a un problème ?

— Un gros, oui. Milo avait un rendez-vous médical et je ne l'ai emmené à l'école qu'à la reprise, à quatorze heures.

Les yeux de la jeune fille volent vers le cahier de doléances. Elle cherche une explication en relisant la note qui accuse le petit Léman à un moment où il n'était pas dans l'enceinte de l'école.

— Je ne comprends pas…, murmure-t-elle piteusement.

La colère d'Alexandra flambe.

— Moi, si. Je comprends parfaitement que mon fils est en train de devenir le coupable idéal pour tous les élèves et les enseignants de cette école !

— Madame !

— Même quand il n'est pas là, il frappe les autres. Il est trop fort, vous ne trouvez pas ? ironise-t-elle.

L'animatrice relève la tête.

— Vous ne pouvez pas dire ça. Votre fils est violent et ce n'est pas l'erreur d'aujourd'hui qui pourra transformer cette vérité.

— Pour vous, peut-être, mais pour moi, au contraire, ça change tout. Ça veut dire qu'une partie de ce dont on l'accuse en permanence est peut-être faux ou exagéré. Ça veut dire aussi que s'il subit ce genre d'injustice fréquemment, c'est mon fils qui devient une victime !

Pour la première fois, quand ils sortent de l'école, Alexandra a la tête haute.

— Madame Léman ?

Alexandra se retourne vers une jeune femme qui regarde Milo avec gentillesse.

— Bonsoir, j'aurais aimé discuter quelques minutes avec vous, si cela ne vous dérange pas. Je suis la maîtresse remplaçante dans la classe de votre fils.

Alexandra hoche la tête. L'appréhension envahit ses veines et lui tord le ventre.

— Je vous écoute.

Karine se rend bien compte que la mère de Milo vient de se placer en position défensive, prête à encaisser les coups portés.

— Je n'ai pas eu l'occasion de m'entretenir avec vous après l'incident avec la petite Tiphaine.

Elle hésite.

— Et sur le fait que seul Milo a été désigné comme responsable.

Alexandra ne bouge pas, elle écoute avec attention.

— Je ne vais pas prétendre que Milo est irréprochable, mais cet environnement est devenu particulièrement hostile pour lui.

— Que voulez-vous dire ?

— Il a un trop gros passif, ici. Vous n'avez pas songé à le changer d'école pour lui laisser une chance de repartir de zéro ailleurs ?

Alexandra se tourne vers son fils avec une lueur d'espoir au fond des yeux. Est-ce que ça pourrait être aussi facile que ça ?

Une fois à table, Alexandra cherche à savoir ce que pense Milo de sa situation et du comportement des autres. Il ne cherche pas à minimiser ses propres fautes, ce qui prouve à Alexandra qu'il lui dit la vérité sur ce qu'il estime injuste. Brutalement, elle ouvre les yeux sur le quotidien effroyable de son fils. Et la question posée par Mme Drouard prend tout son sens.

— Milo, penses-tu que ça serait une bonne chose pour toi de quitter ton école ?

Milo hausse les épaules avec une fausse désinvolture destinée à cacher sa peur.

— En cours d'année ?

Il reste six mois avant les grandes vacances. Il n'a pas tort.

— Si tu me promets de faire des efforts pour que l'année se passe le mieux possible, on attendra. Mais je veux que tu réfléchisses au choix de ton collège. Si tu poursuis ta scolarité avec les mêmes enfants, je pense que ta situation ne va pas s'améliorer. Avec de nouveaux camarades de classe, tout pourrait être différent.

— Et si je ne m'en refaisais pas ?

Elle lui caresse la tête.

— Tu te souviens de ta vie avant que ton père retourne en prison. Tu sais au fond de toi que tu n'es pas condamné à vivre ça.

Elle capte la lueur nostalgique dans son regard avant qu'il ferme ses yeux.

— J'ai peur, maman.

— Moi aussi, mais je pense que ça vaut la peine de tenter le coup.

Ainsi, au moment où le dossier d'affectation au collège arrive, Alexandra, en accord avec Milo et sa psychologue, demande une dérogation pour l'envoyer dans un établissement situé de l'autre côté de la ville, là où personne ne le connaîtra. Ainsi, il pourra faire peau neuve et retrouver une vie plus saine.

Forte d'une nouvelle détermination, Alexandra devient à peu près sourde à tous les reproches qu'on lui adresse jusqu'à la fin du CM2 de Milo.

On l'a persuadée que son fils était un monstre. Et elle ne se pardonnera jamais d'avoir cru aveuglément tout ce qu'on lui a raconté sur lui.

Pendant des années, elle a accepté la honte, l'apitoiement, la violence et le désespoir causés par leurs sentences, leurs condamnations et leur manque de remise en question.

À quel moment a-t-elle eu droit aux plaisirs et aux joies d'être maman ? Jamais ! Elle a passé trop de temps à reprendre son fils, à tenter de le remodeler et à le punir. Est-ce normal que les échecs du système vous privent à ce point de ce qui est naturel et inné ?

Maintenant, elle fait preuve d'une mauvaise foi à toute épreuve et parvient toujours à lui trouver des excuses et à expliquer ses actes, même les plus discutables. Il n'a pas de plus fervente défenseuse.

L'administration ne lui a pas laissé d'autre choix que cette dérobade pour survivre.

Alexandra observe le visage anxieux de son fils.

— Ça va aller, ne t'inquiète pas.

Elle lui caresse la tête d'un geste affectueux et doux. Il ferme les yeux pendant un bref instant avant de s'écarter avec une moue boudeuse.

— Je suis un grand, maintenant.

Elle sourit.

— Tu as bien ta carte de bus ?

Il tape sur sa poche de veste.

— Oui.

— Alors, c'est parti.

Le matin, Alexandra pourra voyager avec Milo, dont le collège est situé sur la route qu'emprunte le bus qui se rend à la station de RER. Après les cours, il se débrouillera seul pour rentrer.

Elle est soulagée à l'idée de ne plus être chronométrée et sous pression pour le récupérer en temps et en heure le soir, même si elle a l'impression que le passage entre le primaire et le collège propulse son tout-petit d'un stade à un autre sans aucune transition. C'est fou, car deux mois plus tôt, elle ne l'aurait laissé seul dans la rue pour rien au monde.

Ils sortent de la maison pour rejoindre l'arrêt de bus. Il observe ce qui l'entoure avec de grands yeux, prêt à s'émerveiller encore malgré le mal infligé et subi. Un pincement au cœur rappelle à Alexandra que l'angoisse n'est jamais tapie très loin. Pourtant, elle fonde de grands espoirs sur cette rentrée et sur le choix qu'ils ont fait.

Il lance un coup d'œil vers elle, comme s'il avait perçu ses craintes.

— Ça va, maman ?

— Oui. Tout le monde n'a pas la chance de pouvoir recommencer de zéro. Toi, tu vas pouvoir effacer tout ce que tu as vécu de traumatisant avant, à l'école, et te faire de nouveaux amis. Je suis sûre que tu vas adorer ça. Et le collège, c'est l'endroit idéal puisqu'il y aura des enfants en provenance de tas d'écoles qui seront dans la même situation que toi…

Il lève les yeux au ciel dans une attitude de feinte assurance.

— Tu me l'as déjà dit cent fois, maman.

Elle hausse les épaules en souriant.

— C'est mon rôle d'essayer de te prouver que le meilleur reste à venir, si tu y mets un peu du tien.

Comme si Milo l'ignorait. Sa mère est rongée par la peur qu'il ne trouve pas sa place là-bas non plus. Et lui ? Est-ce qu'il a la trouille ? Carrément ! Et ce qu'il éprouve n'est rien à côté du moment où il descend du bus pour rejoindre l'entrée du collège ni celui où il franchit le portail d'entrée et se retrouve dans la cour. Son cœur tambourine contre ses côtes.

La présence de sa mère à ses côtés n'y change rien. Dès qu'il ne sera plus qu'avec ses semblables, il se retrouvera aussi désespérément seul qu'avant.

Quand son prof principal prononce son nom, sa mère lui serre l'épaule et lui dit au revoir. Il rejoint sa future classe, tête baissée, par habitude.

— Salut, je m'appelle Marion Nobel.

Pas certain qu'on s'adresse à lui, il lève les yeux. Ses lèvres s'entrouvrent mais pas un son n'en sort.

— Et toi, tu t'appelles comment ?

Pas de doute. L'exquise blonde aux yeux noirs s'adresse à lui.

— Euh… Milo Léman.

Elle sourit et Milo perd son cœur.

Trois semaines après la rentrée des classes, Milo éprouve parfois quelques vieux réflexes teintés de paranoïa, mais la majeure partie du temps il goûte aux joies de l'anonymat. Ici, les gens lui parlent sans arrière-pensées. Pour la première fois de sa vie, il a l'impression de découvrir ce que c'est que de vivre en collectivité.

— Milo ! Tu viens ?

Il se tourne vers Marion. Comme d'habitude, il est ébloui par le fait qu'une fille aussi belle puisse s'intéresser à lui.

— J'arrive.

Il rejoint le petit groupe qui s'agite autour d'elle. Dorian et Jules discutent vivement pendant que Marion, Pauline et Alice écoutent en souriant.

— Je te dis que c'est la meilleure…

— Non. C'est Rihanna !

Milo se glisse près de Marion.

— Que se passe-t-il ?

— Ils sont en train de débattre pour savoir si Rihanna est meilleure que Christina Aguilera, lui explique-t-elle à mi-voix.

Milo hoche la tête. Évidemment, dès qu'on a des rapports sociaux normaux, on se retrouve confronté à ce genre de débats cruciaux.

— Et toi, qu'en penses-tu, Milo ? lui demande Jules.

Il hausse les épaules.

— J'aime bien Rihanna.

— Ah ! Tu vois ! s'exclame Jules, un doigt vengeur tendu vers Dorian.

Ravi de voir ses goûts musicaux confirmés, il passe à un autre sujet.

— Vous avez compris quelque chose au dernier cours de maths ? J'ai essayé de faire les exos, mais j'ai rien pigé.

La discussion change de cap.

— Bien sûr, affirme Dorian avec suffisance.

— Je crois qu'on va avoir un contrôle aujourd'hui.

Jules lance un regard tétanisé vers Alice.

— Non ! C'est pas possible. Je vais encore me taper une note de merde…

— Et toi, tu en penses quoi, Milo ?

Marion a parfaitement compris que si elle ne l'inclut pas dans les conversations, il reste en retrait comme un enfant invité à un dîner d'adultes.

— Ça sera sûrement une petite interro rapide.

— Fais chier ! se désole Jules. Tu peux pas m'expliquer vite fait ?

— Si tu veux.

À vrai dire, la compréhension n'a jamais été un problème pour Milo – quand il était en mesure d'écouter les leçons. Ce qui le gênait, en effet, c'étaient plutôt les vagues d'angoisse qui prenaient toute la place dans sa tête et l'empêchaient d'entendre autre chose que leur ressac lancinant.

À présent qu'il peut se déplacer et vivre comme les autres, son esprit est de nouveau parfaitement opérationnel. Et ses résultats s'en ressentent.

Il suit ses amis dans les escaliers tout en expliquant à Jules la différence entre un segment, une droite et une demi-droite.

Assis sur le bord de sa couchette, le regard dans le vide, Victor souffre. Il se pensait jadis libre et indépendant, du genre à pouvoir aisément tromper sa femme, à ne pas respecter la loi et à accorder un minimum d'attention à son fils, comme son propre père l'avait fait avec lui.

Le résultat est là : sa maîtresse attitrée l'a dénoncé, il se retrouve en taule pour la deuxième fois et sa famille ne veut plus jamais entendre parler de lui. Échec sur toute la ligne…

Lors de son premier séjour en cage, il avait détesté ne jamais recevoir de visite, mais, avec le recul, il est assez lucide pour comprendre qu'il était simplement vexé. Il se pensait assez essentiel pour que même en sachant la vérité sur lui, sa femme accoure en pleurant. Il ne s'était pas rendu compte que ses absences récurrentes avaient miné le terrain et qu'il n'était déjà plus qu'un fantôme pour elle.

Il voit encore la bouille de Milo lorsqu'il lui avait ouvert la porte après sa libération. La nuit quand il ne parvient pas à dormir, il revit en pensées tous les moments qu'ils ont vécus ensemble quand il a daigné prendre sa place de père.

Victor se doute de la peine que son gosse a dû ressentir après sa seconde arrestation. Il n'a pas besoin d'avoir un compte rendu détaillé pour imaginer ce que sont redevenues les journées de son fils à l'école et le calvaire enduré par Alexandra.

Alexandra... Quand elle lui avait annoncé son intention de faire chambre à part, il n'y avait pas cru. Et pourtant, il avait dû la reconquérir, pas à pas. Il a alors eu l'occasion de redécouvrir sa femme, de retomber amoureux d'elle. Et il l'a pourtant trahie une seconde fois...

Il les a fait souffrir, ce n'est donc que justice qu'ils lui rendent la pareille. Pourtant, il donnerait tout pour qu'Alexandra ait écouté ses explications quand il a tenté de lui faire entendre qu'il avait agi ainsi pour les protéger. Sans les casses qui l'ont ramené en prison, ils seraient morts ou peut-être pire ! Léo n'a jamais été réputé pour sa délicatesse.

Avec le recul, Victor regrette d'avoir gardé ses secrets, de ne pas avoir demandé l'avis d'Alexandra ou de ne pas avoir eu le cran de dénoncer Anton Pavelitch. Il en savait assez sur son organisation pour le faire plonger. Au lieu de ça, il a protégé une ordure et ça l'a conduit dans cette impasse.

Il avait regagné l'amour de sa femme, l'affection et l'admiration de son fils et il a tout perdu. Cette fois, il n'est pas blessé par leur indifférence, il est en manque d'eux. Ne pas les voir le tue lentement. Il se rend compte seulement maintenant que sans sa famille, il n'est qu'une coquille vide. Il traîne sa carcasse entre ces quatre murs, l'âme dévastée par le poids de ses erreurs.

— Oh ! Victor ! C'est l'heure de la promenade ! Tu viens ?

Il relève la tête.

— Ouais, j'arrive…

Dans la cour, Victor s'assoit dans un coin. Il écoute distraitement les autres parler entre eux quand un brusque mouvement de foule le sort de sa morosité.

— Une bagarre ! s'enthousiasme Hamid.

Hamid part en courant pour rejoindre la mêlée. Les autres le suivent en commentant la scène.

Victor soupire. Après tout, une baston constitue un des rares événements exaltants dans la vie d'un prisonnier. Ça serait dommage de manquer ça…

Quand il s'approche, il entend les encouragements, les hurlements des parieurs et les grognements des combattants. Il croit reconnaître un gars qu'il avait croisé à la fin de sa première peine, mais l'autre est un inconnu total.

— Pourquoi ils se battent ? demande-t-il à son voisin immédiat.

— C'est une histoire de gonzesse, apparemment…

— Humm…

Tito, son codétenu, se fraye un chemin jusqu'à lui.

— Il paraît que la femme d'Enrique vient de demander le divorce. Il est à cran depuis et son nouveau codétenu a eu le malheur de lui faire une remarque déplacée. Du coup, il a pété les plombs.

D'un geste du pouce, il montre l'Espagnol qui enserre le cou de son adversaire sous son bras et lui balance des coups de genoux dans l'abdomen en hurlant comme un possédé.

— Oh… dur…, déclare platement Victor.

Tito hausse les épaules.

— Ben ouais… Il en a pris pour dix ans ! Comme si elle allait l'attendre…

Victor ressent un coup au cœur. Sa première condamnation a été légère et écourtée. En tant que récidiviste, il doit purger une peine incompressible de huit ans. C'est à peine deux ans de moins qu'Enrique.

Et si Alexandra refaisait sa vie pendant son absence ? Elle est belle, intelligente, séduisante. Quelle place un loser comme lui peut-il encore occuper dans son cœur meurtri ?

Et son gosse ? Il sera quasiment majeur la prochaine fois qu'ils se croiseront. Si toutefois il ressent le besoin de revoir son taulard de père !

Victor doit tenter quelque chose pour sortir au plus vite. Il doit essayer, coûte que coûte, de prendre contact avec les bonnes personnes et de négocier des remises de peine en échange de ce qu'il sait.

Alexandra rentre chez elle après être passée prendre une baguette à la boulangerie.

Depuis que Milo est au collège, elle se sent parfaitement sereine. Il a toujours été intelligent et demandeur. Il évolue comme un poisson dans l'eau dans son nouvel environnement. Il a des tas d'amis. Il a terminé sa sixième avec une moyenne générale de 15. Et pour le moment, ses notes de cinquième sont excellentes.

Quand elle passe devant la maison de Franck, il est en train de sortir ses courses du coffre de sa voiture. Il lui adresse un petit salut. Elle le rejoint avec entrain.

— Salut !

— Salut.

— Tu as passé une bonne journée ?

Il hausse les épaules.

— Pas mauvaise, mais elle serait encore meilleure si je pouvais venir te voir, cette nuit.

Elle sourit avec coquetterie. Les attentions de Franck et sa passion dans l'intimité apaisent son orgueil blessé par les trahisons de Victor. Avec lui, elle a l'impression de valoir quelque chose en tant que femme.

— Hum… C'est d'accord.

Il hoche la tête. Elle sait que la situation n'est pas idéale pour lui, mais ils ont continué de se voir en cachette.

— OK.

Il fait mine de se pencher vers elle. Elle lui adresse un petit sourire emprunté. Il se redresse avec un soupir.

— Tu comptes lui parler de nous un jour ?

— Un jour…

Il lève les yeux au ciel.

— Bien sûr…

Il sait que poursuivre sur cette voie est vain, pourtant il ne peut pas s'en empêcher.

— Tu le surprotèges, ce gosse. Il est en âge de comprendre qu'avec l'absence de son père…

— On en a déjà discuté. Il a trop souffert et il est encore trop fragile pour que je prenne le risque de tout foutre en l'air, insiste-t-elle sèchement.

Franck a envie de la prendre par les épaules et de la secouer jusqu'à la ramener à la raison.

Bordel ! Les femmes veulent mettre le grappin sur des mecs bien partout dans le monde. Et lui qui est raide dingue d'elle et qui souhaite passer à la vitesse supérieure se retrouve à quémander des miettes et à devoir se contenter de sexe ! C'est le monde à l'envers ! Il aimerait qu'elle divorce pour qu'ils s'installent ensemble. Il a envie de construire leur avenir, de faire des projets.

Au lieu de ça, il doit accepter les limites de leur relation, les secrets, les contraintes…

Pourtant, il cède le premier.

— À tout à l'heure, soupire-t-il.

Elle sent sa désapprobation planer entre eux. À quoi joue-t-il ? Ils pourraient vraiment être heureux tous les deux, sans ces querelles incessantes et ses tentatives pour s'imposer dans leur vie.

Agacée, elle lui lance un petit salut de la main avant de traverser la rue. Elle rentre chez elle.

— Bonsoir Milo !

Elle le trouve en train de rédiger un devoir d'histoire.

— Salut m'man.

Elle vient déposer un baiser sur ses cheveux.

— Ça s'est bien passé aujourd'hui ?

— J'ai eu une bonne note en sport et un contrôle de maths.

Elle va poser la baguette de pain dans la cuisine.

— Tu penses avoir réussi ?

— Hum… pas mal.

Elle sourit. Bon Dieu ! Comme ça fait du bien ces échanges tout simples, calmes, posés et positifs. Alexandra redécouvre son fils et les joies d'être mère. Milo n'était pas facile, elle le conçoit, mais de là à la pousser à rejeter son propre enfant ? Elle s'en voudra toujours d'avoir pu nourrir de tels sentiments envers lui. Attirée comme un papillon vers la lumière, elle s'approche à nouveau pour lui caresser la tête.

— Parfait. Tu as faim ?

— Une faim de loup !

— Tu penses finir ton devoir à quelle heure ?

— D'ici une demi-heure.

— OK.

Après ça, elle lance une machine à laver, repasse quelques vêtements avant de préparer le repas. Milo débarrasse ses affaires, fait son cartable et met la table.

Ils discutent paisiblement de son travail à elle, de ses notes à lui, de son collègue à elle qui a fait une boulette, de Marion…

À vingt et une heures, Milo part se coucher. Deux heures plus tard, elle ouvre la porte à Franck qui s'engouffre chez elle.

— Il est couché ?

— Oui.

— Enfin !

Elle glousse pendant qu'il l'embrasse.

Alexandra sursaute. Un peu perdue, elle se redresse dans son lit, l'esprit encore engourdi par le sommeil. Elle jette un regard vers le radio-réveil. C'est déjà l'heure ?

Elle cligne des yeux. Non. Il n'est que trois heures du matin. Pourtant, une sonnerie stridente et répétée brise le silence de la nuit. Elle passe en revue les différents sons de la maison avant de comprendre que quelqu'un est à la porte d'entrée.

Elle se lève, attrape un peignoir au vol et part ouvrir en courant. Elle tourne la clef dans la serrure et se retrouve nez à nez avec deux policiers en uniforme. Si l'un des deux a les cheveux presque blancs, l'autre a l'air bien trop jeune pour afficher une mine aussi grave.

— Madame Léman ?

— Oui… que se passe-t-il ?

— Pouvons-nous entrer, s'il vous plaît ?

Elle hésite juste le temps de noter leurs expressions lasses, mais déterminées. Elle s'efface pour les laisser passer.

— Oui.

Une fois à l'intérieur, le jeune lance un regard vers son collègue pour lui laisser la parole. Après une brève inspiration, celui-ci s'exécute.

— Nous sommes désolés de vous déranger à cette heure, mais nous sommes chargés de vous prévenir du décès de votre mari.

Alexandra les regarde tour à tour, sans comprendre.

— Du décès de mon mari ? répète-t-elle.

— Oui. Votre époux, Victor Léman.

Alexandra reste sonnée. Elle relève les yeux vers eux.

— Comment est-ce arrivé ?

— Je ne pense pas que…

— Dites-le-moi ! S'il vous plaît.

— Il a été passé à tabac par ses codétenus, cède-t-il.

— Il est décédé pendant son transport vers l'hôpital, précise son collègue.

Alexandra sent ses jambes trembler alors que le sentiment d'irréalité la quitte lentement.

— Victor est mort ?

— Assassiné, oui. Je suis désolé, confirme le plus jeune des deux.

Elle porte sa main à sa bouche.

— Assassiné ?

Elle doit les agacer à répéter tout ce qu'ils disent.

— Voulez-vous qu'on prévienne quelqu'un de votre famille ?

— Pardon ?

— Quelqu'un qui pourrait venir vous soutenir dans ces moments…

Le plus âgé des deux met un coup de coude à l'autre.

— Je vois que vous n'êtes pas seule, dit-il en regardant derrière elle.

Alexandra se retourne et se rend compte que Milo se tient debout dans l'entrée, blême.

Un des deux policiers tousse pour attirer de nouveau son attention.

— Les services administratifs de la prison de Fleury-Mérogis reprendront contact avec vous pour toutes les formalités administratives de restitution du corps, afin que vous puissiez faire enterrer votre mari.

— Heu… d'accord.

— Nous vous présentons encore toutes nos condoléances, madame Léman.

— Merci.

Ils s'éloignent dans la nuit après avoir accompli leur sale besogne. Alexandra referme la porte et reste là, sans bouger, face au regard vide de Milo. Elle croise les bras devant sa poitrine pour cacher qu'elle est nue sous son peignoir.

— Tu as entendu ?

Le visage de Milo se plisse de colère.

— Merci ? C'est à cause de ces foutus flics que papa est mort et tu les remercies !

Il y a des heures pour soutenir une polémique et d'autres pour esquiver.

— Je suis tellement désolée pour ton papa, mon grand.

Il essaie de cacher ses larmes, mais n'y parvient pas. Alexandra s'approche de lui, mais il a un mouvement de recul.

— Me touche pas !

Une nouvelle fois, il la rejette comme si elle était responsable du sort de son père.

— Milo !

Elle le voit ouvrir la bouche, mais la colère déforme ses traits, menace à nouveau de l'étouffer. Il lui tourne le dos pour retourner dans sa chambre. En passant près de celle de sa mère dont la porte est restée entrouverte, Milo se fige soudain.

— Qu'est-ce…

Il pousse le battant qui va rebondir avec fracas contre le mur. Alexandra se rappelle soudain qu'elle n'était pas seule cette nuit. Elle se précipite derrière lui.

— Milo ! Arrête !

Il lui fait face avec une lueur meurtrière dans le regard.

— Qu'est-ce qu'il fait là ?

Alexandra espère contre toute attente pouvoir sauver la situation.

— Il…

Milo s'avance vers Franck qui enfile son jean avec précipitation. Le cœur d'Alexandra sombre alors que leurs vêtements éparpillés dans toute la pièce, la marque de l'oreiller sur la joue de Franck et l'emballage de préservatif déchiré qui trône sur sa table de nuit ne laissent aucune possibilité d'enjoliver la réalité, même face à un gamin de treize ans.

— Qu'est-ce que tu fous dans le pieu de ma mère, enculé ?

Les poings en avant, Milo fonce sur lui. Franck esquive.

— Milo, calme-toi !

Ravagé par une flambée de colère, Milo lance son poing dans le mur. La douleur explose et remonte le long de son bras. Pourtant, sa rage supplante tout le reste.

— Tu viens de baiser ma mère !

Alexandra tente de le prendre dans ses bras.

— Ne parle pas comme ça, Milo.

Il la repousse en gémissant.

— Vous vous êtes bien foutus de ma gueule dans cette maison !

Entre son père pour qui il valait moins qu'un vol de bijoux et qui a trahi toutes ses belles promesses et sa mère qui s'envoie en l'air avec leur voisin…

— Non, Milo. J'ai toujours eu l'intention de te le dire, mais ta maman voulait te protéger, se défend Franck.

Alexandra lâche un gémissement horrifié.

— Parce que ça dure depuis longtemps entre vous ? s'indigne Milo.

Alexandra se place entre eux.

— Rentre chez toi, Franck.

Inquiet, le policier insiste.

— Tu es sûre que tu veux affronter ça toute seule ?

— Ça, c'est mon fils ! Donc, oui, tu dois partir.

Congédié, il hausse les épaules avec fatalisme.

— OK…

Il enfile son pull et quitte la pièce sous le regard menaçant du gosse.

— Milo…, tente Alexandra.

Il se détourne en grimaçant.

— Tais-toi ! Et surtout, me dis pas que tu es désolée !

— Je ne suis pas désolée, Milo. Du moins, pas pour ce que j'ai fait avec Franck. Je suis triste que tu l'aies découvert ce soir justement.

— Comment t'as pu faire ça à papa ?

Alexandra manque de s'étouffer.

— C'est à moi que tu fais la morale, alors que ton père a été arrêté sous tes yeux parce que la pute qu'il se tapait l'a dénoncé à la police ?

Milo se fige. Alexandra met sa main devant sa bouche.

— Pardon, Milo ! Je n'aurais pas dû te dire ça…

Milo a l'impression qu'on vient de lui retirer ses œillères et que toute l'horreur du décor vient de lui être révélée. L'ampleur des mensonges de tous les adultes qui l'entourent est monstrueuse. La trahison se mêle à la souffrance morale et physique qui broie son cœur, son âme et sa main.

— J'te hais, lâche-t-il.

— Tu n'as pas le droit de me dire ça ! J'ai toujours été là pour toi, Milo. Toujours !

Sans un mot, il lui tourne le dos. Alexandra le suit en le suppliant de l'écouter. Il claque la porte de sa chambre derrière lui. L'oreille collée contre le battant, elle écoute ses sanglots rauques face auxquels elle se sent totalement impuissante.

Milo refusait d'aller voir son père en prison, mais il ne faisait que le sanctionner pour avoir trahi sa promesse d'être toujours là pour lui. Vexé, abandonné, Milo avait construit cette apparente indifférence de toutes pièces. Ses sentiments pour Victor étaient intacts, bien que nuancés de tristesse et de rancœur.

Et elle ? Est-ce qu'elle aimait encore Victor ? Il l'avait trop souvent déçue et ses absences avaient fini par distendre les liens qui les unissaient et par éteindre la passion. Dire que ce connard a choisi de se faire tuer alors que Franck était là ! Elle s'en veut immédiatement pour ces pensées mesquines. Ce n'est pas parce que ses sentiments pour Victor avaient fini par disparaître qu'elle doit renier leur passé commun et qu'elle doit refuser de voir en face sa propre responsabilité dans la scène qui vient de se dérouler.

Dans la chambre de Milo, les pleurs se sont transformés en gémissements. Elle hésite un instant avant de prendre une grande inspiration et d'entrer dans la pièce.

— Milo ?

Elle entend un cri étouffé. Inquiète, elle allume. Milo est recroquevillé sur son lit. Elle s'approche.

— Milo ?

Elle se penche au-dessus de lui. Il tient sa main droite contre lui. Son visage est crispé par la douleur.

— Tu as mal, Milo ?

Il voudrait l'envoyer promener, mais il n'en a plus la force.

— Qu'est-ce que tu as ?

— J'ai dû me casser la main.

Elle le revoit mettre un coup de poing dans le mur.

— Pourquoi ne me l'as-tu pas dit ? s'emporte-t-elle.

Alexandra l'attrape par l'épaule, mais sa grimace de souffrance lui fait suspendre son geste.

— On va à l'hôpital. Immédiatement !

Ils s'habillent rapidement, elle attrape son sac à main et entraîne son fils dans la voiture.

— Ça doit t'arranger qu'il soit mort, non ? lance-t-il à brûle-pourpoint alors qu'elle démarre à un feu.

— Tu es injuste avec moi. Tu ne peux pas me demander de passer le reste de ma vie toute seule, alors que c'est lui qui a fait les mauvais choix.

Elle voit ses larmes couler sur ses joues, malgré sa tentative pour les lui cacher.

— Milo…

— Je n'ai pas revu papa. Pas une seule fois.

Elle serre les dents sous l'effet d'une culpabilité mordante.

— Je ne t'ai jamais demandé ça. C'était ton choix.

Comme s'il avait besoin qu'elle le lui rappelle. Il ferme les yeux.

— Je le sais, et maintenant, c'est trop tard. Je ne pourrai jamais comprendre pourquoi il a rompu sa promesse. Je ne pourrai jamais savoir quelle place j'occupais dans son cœur.

Il aura toujours une image altérée de lui, celle d'un gosse qui malgré tout l'amour qu'il lui portait, ne valait rien pour son père.

— Il t'aimait, Milo. N'en doute jamais.

— Moins que le fric, crache-t-il avec mépris.

Milo sent la colère enfler à nouveau dans son cœur. Il la sent envahir chaque fibre de son être. Il sent les ombres rôder autour de lui. Elles viennent de retrouver sa trace.

— Ouvrez votre livre page cent onze.

Milo est assis en classe. Pour qu'il ne prenne pas de retard malgré son poignet et ses doigts dans le plâtre, il vient en cours pour écouter. Chaque jour, il récupère les notes des autres.

En temps normal, ça aurait été un compromis parfait. Sauf que ses angoisses sont revenues. Depuis qu'il a vu le corps de son père, malgré les réticences de sa mère, et qu'il a regardé le cercueil descendre dans la fosse, il vit une mort lente.

La souffrance le traque partout, même dans son sommeil. Il est de nouveau la proie de tourments qu'un gosse de son âge ne devrait pas connaître.

Envahi par ces émotions parasites, incapable de leur échapper, il gémit bruyamment. Dorian se tourne vers lui et remarque son expression hantée.

— Ça ne va pas, Milo ?

Il ne répond pas.

— Tu chiales ? s'étonne Dorian.

Milo passe sa main sur ses joues. Elles sont couvertes de larmes.

— Non !

— Mais si ! Merde, c'est trop naze ! déclare-t-il en pinçant le nez sous l'effet de la gêne.

Sans même prévoir son geste, Milo se lève et assène une baffe magistrale à Dorian qui tombe de sa chaise en entraînant sa table dans sa chute. Le vacarme est épouvantable.

Toute la classe se retourne vers eux.

— Que se passe-t-il ? demande le prof.

Les poings serrés de Milo et la pose défensive de Dorian ne laissent que peu de place au doute.

— Milo, donne-moi ton cahier de correspondance.

La colère l'aveugle. Il se met à crier. D'une main, il attrape la table devant lui et la fait basculer. Il entend vaguement les hurlements terrifiés de ceux qui étaient ses amis quelques secondes plus tôt. Ils s'éparpillent comme une volée de moineaux.

Le brouillard envahit la raison de Milo. Il perd pied.

Quand il reprend le contrôle de ses pensées, il est seul au milieu de la classe. Plusieurs tables sont renversées. Les chaises sont éparpillées comme s'il avait joué au bowling avec. Par la porte ouverte, les autres le regardent, ébahis, sans comprendre la scène à laquelle ils viennent d'assister.

Il entend des pas précipités. Le prof arrive avec le principal adjoint.

— Milo ! Tu vas me suivre dans mon bureau, déclare ce dernier d'un ton sec.

Milo ferme les yeux. La saveur si douloureuse de l'échec envahit ses sens. Il bute toujours sur les mêmes obstacles, condamné à tourner en rond comme un hamster dans sa roue.

Il desserre ses poings. Ses épaules s'affaissent. Il imagine la réaction de sa mère, sa déception.

— OK.

Maintenant que la colère a brûlé le trop-plein d'énergie, il est comme anesthésié. Il obéit sans faire d'histoires. Dans le bureau du principal adjoint, il entend celui-ci appeler sa mère pour lui annoncer qu'il risque d'être exclu. Alexandra le coupe et essaie de le tempérer en lui annonçant le décès de son père dans des circonstances dramatiques.

Quand le principal adjoint raccroche, il lance un regard ennuyé vers Milo.

— Tu es un bon élève, Milo. Mais ce qui s'est passé aujourd'hui…

Milo soupire, alors que le monologue pénible du principal adjoint, entrecoupé de sermons et de paroles de réconfort, s'éternise. Il finit par promettre tout ce que veut son interlocuteur pour être libéré de lui et de sa compassion.

Pourtant, à quoi bon lutter ?

Il n'a aucune illusion. Il va perdre tout ce qu'il a reconstruit ici. Il ne pourra pas lutter contre l'inévitable parce que ce qui s'est passé aujourd'hui ne constitue que les prémices de sa chute annoncée.

Comme toujours, Milo traverse des phases durant lesquelles les ténèbres le perdent de vue avant de planter à nouveau leurs crocs dans son cerveau ravagé.

Il a entamé sa quatrième, après une fin de cinquième très compliquée. La compréhension et l'écoute qu'il a pu trouver à l'annonce de la mort de son père se sont émoussées au fil du temps et de la gravité de ses pétages de plombs.

Milo ne compte plus ses heures de colle. Il en a fait plus à lui tout seul que tous les élèves du collège réunis. Il faut bien qu'il se démarque dans un domaine, vu que ses résultats sont en chute libre.

Sa dernière lubie lui a valu une semaine d'exclusion et il revient ce matin après avoir passé son temps à traîner au lit, à regarder la télé et à jouer à la console.

Dit comme ça, ça pourrait donner envie à n'importe qui. Mais pas à lui… Pas alors que sa mère a fini par se mettre en couple avec leur pot de colle de voisin. Franck s'est incrusté dans leur vie comme un mollusque sur un rocher. Et ses horaires décalés font qu'il est très souvent à la maison.

Putain d'enfoiré ! Il lui donne envie de se jeter sous le RER, avec ses leçons de morale, son ton désapprobateur et le reste. Sans compter que les imaginer dans le même lit lui file la gerbe.

Le souvenir de son père n'aura pas duré longtemps ! Il n'y a plus que lui pour se rappeler des bons moments vécus en famille. Si toutefois son père ne s'est pas foutu de sa gueule sur toute la ligne ! Avec lui, difficile de savoir ; surtout maintenant qu'il est mort.

Perdu dans ses pensées, il heurte quelqu'un.

— Pardon !

C'est Marion. Son cœur fait un bond dans sa poitrine à la vue des reflets dorés dans ses cheveux et de son visage à l'ovale parfait. Ils ont été si proches, si complices, mais il a tout gâché. Maintenant, elle le regarde avec effroi, comme une bête sauvage risquant de lui sauter à la gorge à tout moment.

— Désolé, Marion.

Elle hoche la tête sans même le regarder et fait mine de le contourner. Il tend la main pour la retenir.

— Marion ! J'aimerais te parler après les cours.

Elle se fige, très surprise par cette invitation.

— Heu…

— Si tu n'en as pas envie…

— Comment pourrait-elle en avoir envie, espèce de maboul ! Fous-lui la paix !

Milo lance un regard mauvais vers Dorian qui s'interpose entre eux.

— Est-ce que c'est à toi que je parle ? Non. Alors, dégage !

Dorian s'avance jusqu'à le toucher.

— Retourne dans ton hôpital psychiatrique, taré !

Le poing de Milo vole vers le visage de Dorian. Il n'a pas prémédité son geste, mais le résultat est là : il lui a brisé le nez.

Milo relève les yeux. Marion a pris la fuite.

Avant la fin de la journée, le conseil s'est réuni pour voter son exclusion définitive de l'établissement. Il sait qu'à la maison, ça va être l'horreur, pourtant rien ne le blesse autant que le regard de dégoût et de mépris que Marion a posé sur lui aujourd'hui.

Assise devant son ordinateur, Alexandra regarde les résultats qui s'affichent sur son écran. Elle fait défiler le curseur jusqu'à la ligne des notes de Milo. Sans grande surprise, elle acte qu'il a raté son bac pro.

Derrière elle, certains de ses collègues, également concernés par le sujet, commentent les résultats de leurs gosses. Elle entend leurs éclats de voix satisfaits et leur joie emplie de fierté.

Encore une fois, elle va devoir garder la tête basse et supporter leurs regards de pitié quand elle n'aura pas d'autre choix que de reconnaître l'échec de son fils.

Un nœud d'angoisse lui serre l'estomac. À la fin de la troisième de Milo, son dossier scolaire était si chaotique qu'elle avait dû payer pour l'envoyer vers une voie professionnalisée. Elle espérait ainsi lui assurer un avenir, mais après avoir été exclu de son collège, il avait poursuivi sur sa lancée. Il avait été viré de ce lycée privé et il avait dû réintégrer celui de Lomigny-sur-Antelle.

Dorénavant, sa réputation le précède, quel que soit son état d'esprit. Il a toujours des facilités, mais elles sont presque indiscernables au milieu de tout ce qui dysfonctionne dans son attitude.

Elle se déconnecte et recule au fond de son siège. Elle a pris des jours de congé pour accompagner Milo jusqu'au lycée où il passait ses examens, de peur qu'il ne s'y rende même pas. Est-elle déçue par ses piètres résultats ? Ce n'est pas comme si elle l'avait vu réviser comme un fou…

Plus le temps passe et moins elle reconnaît son fils, moins elle comprend ce qu'il est devenu. Un mètre quatre-vingt-cinq à dix-huit ans, il fume, boit, sèche les cours, s'exprime comme un charretier. Il est violent et bagarreur, insolent et immature, instable et imprévisible. Les gens qu'il fréquente sont aussi paumés que lui et l'entraînent petit à petit vers le fond.

Privé de perspectives d'avenir, son fils n'a rien à voir avec l'image qu'en tant que mère elle avait forgée pour lui.

Aujourd'hui, elle est aussi impuissante à infléchir Milo que quand il lui arrivait de pousser un camarade dans la cour de récréation à la maternelle et que les animateurs lui tombaient dessus pour exiger que ça s'arrête.

— Alexandra, ça va ? On voudrait aller prendre un pot ce midi pour fêter les notes de nos enfants. Tu veux te joindre à nous ? demande Bénédicte.

— J'ai trop de travail. Je ne vais pas pouvoir, mais c'est gentil de votre part.

L'expression de Bénédicte laisse entendre qu'elle n'est pas dupe et a parfaitement compris le fond du problème.

— Si tu changes d'avis…

— Merci.

La journée lui paraît interminable. Quand enfin, elle rentre chez elle, elle entend des hurlements depuis la rue.

Franck et Milo sont encore en train de s'affronter.

— Tu comptes faire quoi de ton avenir, sans diplôme et avec un parcours aussi merdique que le tien ?

— En quoi ça te concerne ? Tu n'es que le mec qui saute ma mère ! J'en ai rien à foutre de ton opinion, et tes conseils, tu peux te les carrer au cul !

— Tu te rends compte de ta façon de parler ? Tu ne respectes rien ! Ni personne.

— Non ! Et toi encore moins que les autres !

Alexandra entre dans le salon. Milo est affalé devant la télé, les yeux rougis d'avoir été rivés trop longtemps à ses jeux vidéo ultraviolents. Vu l'état de la maison, il n'a rien fait d'autre de sa journée.

Franck se tourne vers elle avec un regard qui ne trompe pas. Il attend qu'elle s'implique.

— Ah ! Tu es rentrée !

Elle aurait aimé avoir le temps de se poser avant de devoir régler leur conflit. Régler étant un bien grand mot compte tenu de la haine et de la rivalité qui dominent tous leurs échanges.

Elle soupire.

— Oui.

— Tu as regardé les résultats de ton fils ? lui lance Franck, comme une perche tendue.

Elle range son sac à main et retire sa veste.

— Bien sûr.

— Et alors ?

Elle hausse les épaules. Ce n'est pas comme s'ils s'étaient attendus à un miracle, n'est-ce pas ?

Ils savaient tous les deux que Milo allait échouer. Pourquoi Franck réagit-il ainsi ?

— Et alors, je suis déçue.

Sur le canapé, Milo lève les yeux au ciel.

— Ben voyons, murmure-t-il.

Pour autant, elle aurait aimé en parler en tête à tête et calmement avec son fils. Même si elle comprend que Franck souhaite s'impliquer dans l'éducation de son beau-fils, il s'y prend mal. Les tensions ne font que s'accroître depuis qu'il vit sous le même toit qu'eux.

Avec un soupir las, elle s'assoit près de Milo.

— Tu as regardé tes notes ? Je crois que tu peux passer le rattrapage. Avec quelques efforts…

Il lui lance un regard assassin.

— Je n'irai pas au rattrapage. C'est pas la peine.

Il se lève et se dirige vers l'entrée. Il saisit son blouson au passage. Franck tente de s'interposer.

— Ta mère est en train de parler avec toi…

Milo lui claque la porte au nez.

— Mais bon sang ! Qu'est-ce qu'il a ce gosse ? s'emporte Franck.

— Il n'a pas eu une vie facile…

Il la dévisage comme si un troisième œil venait de pousser au milieu de son front.

— Ne me dis pas que tu lui trouves encore des excuses !

— C'est mon rôle de mère de trouver des excuses à mon fils.

— C'est ton rôle même quand son comportement est inexcusable ? s'indigne-t-il.

Elle serre les dents.

— Tu n'as pas d'enfant, Franck. Ne parle pas de ce que tu ne connais pas !

Blessé, il ne retient pas ses paroles amères.

— Je n'ai pas d'enfant parce que la femme que j'aime a toujours refusé de s'engager avec moi !

Elle reste bouche bée face à cette attaque inattendue. Franck lève les bras au ciel.

— Et merde ! J'aurais dû m'avouer à moi-même que nous n'avons jamais été sur la même longueur d'onde. Au lieu de ça, j'ai fermé les yeux. Je n'ai pas voulu voir quelle était ma place réelle dans ta vie.

— Tu me fais quoi, là ?

Alexandra énumère sur ses doigts ce qu'elle lui annonce.

— On vivait chacun chez soi tout en partageant des bons moments, pourtant tu as voulu qu'on vive ensemble et j'ai accepté. Tu as voulu t'immiscer dans l'éducation de Milo et je t'ai laissé faire, alors que tu passes ton temps à le faire se sentir encore plus minable qu'il ne l'est !

— Non mais tu t'entends ? M'immiscer ? Je suis ton compagnon et par conséquent le beau-père de Milo. Il est bien normal que je m'intéresse à lui. D'ailleurs, j'essaie d'avoir de l'autorité sur lui, vu que toi tu lui passes tout !

Le visage d'Alexandra se ferme.

— Je crois que je me suis plantée en acceptant de vivre avec toi, constate-t-elle.

Soudain effrayé de la voir prendre parti pour son fils, il tend la main vers elle.

— Ne fais pas ça…

Elle redresse la tête.

— On va faire une pause. Tu vas retourner vivre chez toi. Ça sera mieux pour tout le monde.

Il lâche un rire méprisant.

— Mieux pour Milo, tu veux dire !

— Pas seulement. C'est trop dur pour moi de me retrouver entre vous en permanence.

— Tu es entre nous parce que tu refuses de voir que ta vraie place est à mes côtés et pas à ceux de ton voyou de fils !

— Sors de chez moi ! hurle-t-elle en lui montrant la porte.

Furieux, il s'exécute.

— Tiens, je te fais un prix, si tu veux…
Milo n'a pas beaucoup d'argent sur lui.
— Je sais pas.
Mickaël attrape Milo par l'épaule.
— Laisse-toi tenter. C'est de la bonne. Je lui en ai pris trois grammes pas plus tard qu'hier.
Milo sort son argent de sa poche et le dealer lui tend un petit sachet en échange. Il lui lance un salut avant de disparaître à l'angle de la rue.
— On va s'en rouler un ? propose Mickaël.
— Ouais.
Milo n'a jamais possédé sa propre résine. D'habitude, il profite des largesses de ses amis. Avec un brin de fierté, il prépare deux joints. Il ferme les yeux en aspirant longuement la fumée.
Mickaël allume le sien et tire une taffe.
— Allez, viens. On va retrouver les autres.
Il retournent vers la place du RER tout en discutant.
— Tu l'as connu comment ce mec ? demande Milo.
— En cours. Il dealait au lycée et s'est fait virer un peu avant que tu arrives. On est restés en contact. C'est un mec réglo.

— C'est cool de me l'avoir présenté.

Ils devisent en avançant tranquillement quand une sirène retentit derrière eux. Ils se retournent avec inquiétude. Une voiture de police les dépasse avant de faire une embardée pour s'arrêter juste à côté d'eux.

Trois flics en descendent et les encadrent. L'opération a pris quelques secondes tout au plus. Milo se retrouve plaqué contre le capot de la voiture avant d'avoir pu tenter quoi que ce soit pour se débarrasser de la drogue.

Les mains du flic palpent ses jambes, ses poches et son torse. Et comme il a l'air de savoir quoi chercher, il finit par le trouver.

Il sort le sachet dans lequel il reste un peu de résine après les deux joints qu'il a roulés.

— Lâche-moi !

Milo se débat. Mickaël lui lance un regard désolé. Son pote « fiable » était apparemment sous surveillance et ils sont tombés à cause de lui.

Ils se retrouvent menottés à l'arrière du véhicule. Une fois au commissariat, on les conduit jusqu'au bureau d'un gradé. Le type se passe une main sur les joues. Ses yeux sont cernés, il a l'air crevé.

— Vous avez été interpellés en possession de moins de deux grammes de résine chacun, annonce-t-il d'une voix lasse.

Moins de deux grammes… Il imagine déjà toute la paperasse à remplir alors qu'il n'y a vraiment pas de quoi fouetter un chat.

Le lieutenant observe les stats de la journée. Ils ont fait leur quota de gardes à vue. Il entre les noms des deux gars dans le système. Il ne trouve aucun délit grave, juste quelques bagarres.

Il regarde l'heure sur le bas de son écran. S'il boucle l'affaire rapidement, il pourra être à l'heure chez lui. Il prend sa décision.

Il leur fait la morale, les alerte sur les méfaits de la drogue, les risques s'ils se font prendre une nouvelle fois et remplit une main courante.

— On va appeler vos parents, maintenant ! leur annonce-t-il avec sévérité.

Mickaël ne semble pas en revenir de leur bol. Milo qui hait la flicaille cale son comportement sur le sien et se la boucle.

Le policier sort du bureau quelques instants.

— Putain ! On est tombés sur un mec cool ! Au minimum, on aurait dû se prendre une putain d'amende et un stage de sensibilisation de mes deux ! lui glisse Mickaël.

Le gars revient.

— Vos parents arrivent. Allez vous mettre dans le coin, là-bas, pour les attendre.

Quand Alexandra passe la porte du commissariat, Milo sait que s'il a eu de la chance côté police, il ne va pas en avoir autant avec elle. Elle a l'air furieuse.

Il la suit sans broncher jusqu'à sa voiture. Elle démarre en silence. Il se fait tout petit, bien conscient que la pression monte et qu'elle ne va pas tarder à lui exploser en pleine gueule, comme au bon vieux temps…

— De la drogue !

L'attente n'aura pas été longue.

— De la drogue ! Mais tu penses à quoi, putain de merde ?

Elle secoue la tête.

— Tu veux vraiment finir comme ton père ?

Il serre les dents sans répondre. C'est inutile, quand elle est dans cet état. Il en a fait les frais suffisamment souvent pour ne même pas tenter le coup.

— C'est ça que tu veux comme avenir ? Réponds-moi !

— Non…

Il sent sa colère irradier et le brûler.

— J'ai dû partir du boulot en catastrophe pour venir te chercher au poste ! Je ne sais plus quoi faire de toi, Milo !

Il voit les larmes qui envahissent ses yeux. Il baisse la tête.

— Pardon, m'man.

— Pardon ? Pardon ? C'est tout ce que tu trouves à dire ?

Il fixe la route devant lui.

— J'ai tellement honte, Milo ! Je voudrais tellement que tu comprennes que tu te trompes en agissant ainsi !

Il la laisse déverser sa rage, en un flot de reproches continu qu'il n'écoute que d'une oreille distraite. Il a appris à prendre son mal en patience.

Et puis, il a retenu la leçon : la prochaine fois, il fera en sorte de ne pas se faire prendre.

— J'ai regardé le site Internet de ton lycée, Milo. Les inscriptions sont ouvertes, annonce Alexandra.

Sorti de sa partie de *GTA,* Milo tourne la tête vers elle avec une mine éberluée.

— Quoi ?

D'un geste agacé, elle baisse le son de l'enceinte qui trône sur la table basse devant lui et qui diffuse « Him & I ».

— Pour te réinscrire en terminale.

Il la dévisage sans réaction, alors que sur l'écran Franklin se fait canarder de toutes parts par une quinzaine de policiers qui ont profité de sa distraction pour l'encercler.

— Je pensais avoir été clair, déclare-t-il finalement.

Alexandra pose les courses sur le plan de travail de la cuisine et revient vers lui.

— À quel niveau ?

— Je t'ai dit que je ne repasserai pas mon bac.

Elle hausse les épaules.

— Et tu ne l'as pas fait. Tu n'as pas été au rattrapage, me semble-t-il.

Il secoue la tête et jette la manette de jeu à côté de lui.

— Non ! Je parlais des études. C'est fini pour moi.

Elle attend la chute de sa blague, mais rien ne vient.

— Tu rigoles ?

Il a repris le cours de sa partie comme si de rien n'était, comme s'il ne venait pas de lâcher une bombe. C'est incroyable !

— Milo !

Il soupire.

— Quoi ?

— On est en train de parler, là !

— Tu vois pas que je suis occupé ?

Elle s'emporte et se place devant l'écran en lui bouchant la vue alors qu'il était en train de tabasser un passant avec une batte de base-ball.

— Excuse-moi, mais ton avenir me semble un tout petit plus important que ton jeu vidéo.

Il lui lance un regard blasé.

— Je me demandais quand j'allais avoir droit à une nouvelle leçon de morale, ironise-t-il.

Alexandra est effarée.

— Il s'agit de ta vie !

Il croise les bras devant lui.

— Justement, c'est ma vie ! Je fais ce que je veux.

Elle secoue la tête.

— Tu ne peux pas dire ça !

— Si.

— Milo, enfin ! Si tu arrêtes tes études maintenant, qu'est-ce que tu vas devenir ?

— Tu me saoules avec tout ça ! s'emporte-t-il.

— Je te…

Alexandra insiste encore pour tenter de lui faire entendre raison.

— Tu ne te rends pas compte que si tu n'as aucun diplôme, tu ne trouveras pas de métier. Sans métier, tu ne gagneras pas d'argent. Et sans argent, tu ne pourras pas te loger, te nourrir, te faire plaisir…

Il se passe la main dans les cheveux et observe le canapé avec un sourire en coin.

— Pour le moment, ça se passe pas trop mal.

— Parce que je suis là, Milo. Qu'est-ce que tu feras s'il m'arrive quelque chose ? Tu veux finir à la rue ?

Il se lève.

— Tu vois toujours tout en noir. Déstresse…

Et en plus, il se fout de sa gueule !

— Tu vas reprendre ton année de terminale, Milo ! Je te l'ordonne !

Il secoue la tête.

— Inscris-moi si ça te fait plaisir, mais je n'y retournerai pas.

Il la contourne et place ses écouteurs sur ses oreilles.

— Où vas-tu ?

— Je sors. À demain.

Il monte le son et la mélodie syncopée d'un morceau de rap parvient jusqu'à elle.

— Milo, je t'ordonne de rester ici !

Une fois qu'il a claqué la porte, Alexandra se retrouve seule, au milieu du salon.

FATALITÉ
2018

Elle sort du RER et jette un coup d'œil alentour. À cette heure-là et en semaine qui plus est, il n'y a pas grand monde sur le quai. Elle enfonce son nez dans son écharpe en laine épaisse et monte le son de sa musique. La voix éraillée de Grace VanderWaal entonne « So Much More than This ». Elle accélère le pas pour se greffer aux quelques passagers qui prennent le souterrain qu'elle franchit rapidement pour émerger sur la place qui borde la station. Malheureusement, le groupe se disperse et personne n'emprunte la même direction qu'elle.

Avec une grimace, elle remarque plusieurs mecs qui squattent les lieux, fument, parlent fort et picolent des bières. Ils sont sur sa trajectoire. En tant que fille mignonne, elle a appris depuis longtemps à éviter les ennuis, même si certains diraient qu'aller prendre un pot avec les autres étudiants de sa promo après les cours et rentrer à presque vingt-trois heures ne s'inscrit pas dans la case « prudence ». Surtout pas quand on porte une jupe…

En même temps, si les mecs étaient moins cons et portés sur ce qui se passe dans leur caleçon, elle n'aurait pas à se poser ce genre de questions ni à regretter sa super soirée.

Elle emprunte une allée parallèle à la leur et marche d'un bon pas sans leur prêter attention. Avec un peu de chance, ses écouteurs et son attitude seront suffisamment dissuasifs.

Manque de pot, elle entend des pas pressés derrière elle.

— Hé, mad'moiselle !

Et merde ! Là, c'est le moment où chaque femme s'est demandé au moins une fois dans sa vie si elle doit répondre, tout en sachant que « oui » c'est la porte ouverte à toutes les emmerdes possibles et imaginables et que « non » la fera rentrer dans la case bêcheuse que tout mec digne de ce nom doit par définition mettre au pas.

— Hé, mad'moiselle !

Elle l'ignore toujours, même si ses cris ont fini par attirer l'attention de ses dégénérés de copains. Le pire des scénarios !

— T'es pas assez bien pour elle, crevard !

— Va te faire foutre ! répond celui qui la colle.

— C'est plutôt elle qui se croit trop bien pour nous !

Et voilà exactement les mots qu'elle craignait d'entendre. Ceux qui font que vous pouvez passer sans transition de fille normale à victime. Ceux qui sentent le défi à plein nez pour celui qui l'a interpellée et qui vont le pousser à insister. Ceux qui peuvent justifier à ses yeux l'usage de violence sur elle vu qu'il ne dispose d'aucun autre moyen pour la dominer efficacement afin d'éteindre les moqueries de ses potes.

Elle serre les poings et accélère le pas.

— Hé, j'te parle !

Une main brutale se pose sur son épaule et l'oblige à s'arrêter. Il la tourne vers lui.

— On t'a pas appris à répondre quand on t'adresse la parole ?

Son haleine chargée d'alcool l'agresse. Il lui fait mal. Elle se débat et retire ses écouteurs.

— Lâche-moi !

— Oh ! Désolé ! minaude-t-il.

Comme des vautours qui sentent l'odeur alléchante d'une carcasse abandonnée, les autres se rapprochent en riant. Elle ferme les yeux, certaine que tout ceci va très mal tourner.

— Je dois y aller, dit-elle en s'efforçant de contrôler les tremblements de sa voix.

Y aller, quitte à s'enfoncer dans les rues sombres avec cette meute derrière elle ? Elle frissonne. Celui qui l'importune sourit et lève sa bouteille vers ses amis.

— Moi, j'suis pas d'accord ! On pourrait discuter, tu crois pas ?

— Non ! crache-t-elle en repoussant sa main tendue vers sa joue.

— Marion ?

Un des gars qui l'encerclent se détache du groupe pour s'approcher.

— C'est moi, c'est Milo !

Elle le dévisage quelques secondes avant de le reconnaître.

— Milo ? C'est bien toi ? demande-t-elle avec un soulagement manifeste.

Il sourit et la rejoint. La tension retombe d'un coup. Comprenant le signal, les autres se dispersent pour les laisser tous les deux.

— Tu vas bien ? demande-t-il.

— Mieux maintenant que tu es intervenu. Et toi ?

— Bien, élude-t-il.

Elle lance un regard goguenard vers sa bande.

— Tu es sûr ?

Il hausse les épaules avec fatalisme.

— À quoi je pouvais m'attendre avec mes conneries ?

D'un mouvement du menton, il lui montre la direction de chez elle.

— Je te raccompagne, si tu veux.

Soulagée, elle approuve.

— Merci. J'ai vraiment eu peur. Heureusement que tu étais là.

— Ils ne font qu'aboyer… ils ne mordent pas.

Il sourit et elle sent son cœur s'emballer. Quand ils étaient au collège ensemble, il était déjà craquant, mais là, il est au-delà de ça. Le charme inhérent aux mauvais garçons, sans doute.

Elle lui emboîte le pas.

— Qu'est-ce que tu deviens ?

Il soupire avant d'allumer une cigarette.

— Pas grand-chose. Je traîne à droite à gauche…

— Tu as arrêté tes études ?

Il lui lance un regard perçant à la limite du défi.

— Ouais.

— C'est dommage. Tu travaillais bien.

Il lâche un petit rire ironique. Même quand les arguments de sa mère finissaient par le toucher et par le remotiver et qu'il parvenait à redresser la barre pendant quelques heures, sa réputation anéantissait tous ses efforts. C'était épuisant, humiliant de se voir toujours rabaisser et ramener à ce qu'il y a de pire en lui. Il ne va pas prétendre qu'il n'était pas responsable du moins bon, mais quitte à passer pour un nul, il a fini par acter et par se laisser convaincre de l'inutilité d'insister.

— Je ne comprends pas ce qui a pu t'arriver, insiste-t-elle. Qu'est-ce qui t'a fait changer à ce point en cinquième ?

Il lui lance un regard en biais.

— Mon père était un braqueur de bijouteries. Il a été tué par ses codétenus en prison et ça m'a fait péter les plombs.

Déçue, elle se détourne.

— Tu n'es pas obligé de me mentir pour me faire comprendre que tu n'as pas envie de me parler.

Ils sont à deux pas de chez elle à présent. Il n'a pas envie de la laisser partir. Quand elle s'arrête devant la porte de son immeuble, il soupire en enfonçant ses mains dans ses poches.

— C'est la vérité, Marion. Il s'appelait Victor Léman. J'avais quatre ans quand il a été arrêté la première fois. Ça a foutu ma vie en l'air.

Son air blessé ne laisse plus de place au doute.

— Oh ! Je suis désolée.

Il accepte ses excuses d'un signe de tête.

— J'étais tellement en colère contre les policiers qui me l'avaient pris, contre lui qui s'était fait choper bêtement, contre ma mère qui n'avait pas pu empêcher ça et contre le monde entier, à vrai dire, que je n'arrivais plus à penser à autre chose.

Elle ne sait pas quoi dire. Il lui adresse un sourire triste.

— Et puis une fois que tu as une image de voyou ou d'élément perturbateur, tu ne peux plus t'en dépêtrer. Même quand tu n'as rien fait, c'est toi. Tu te retrouves enfermé dans un personnage trop étroit pour toi, sans issue, sans choix. Rien. Il ne te reste plus qu'à aller toujours plus loin dans la provoc et les conneries puisque c'est la seule voie où les gens t'attendent encore.

— On était amis à l'époque. Pourquoi tu ne m'as rien dit ? J'aurais pu t'aider, te soutenir… je sais pas moi.

Il tend la main vers elle pour toucher sa joue et repousser une mèche de ses cheveux blonds derrière son oreille. Elle ferme les yeux à ce contact. Il sourit avec nostalgie.

— On était plus que ça. Enfin ! De mon côté…

Il lui adresse un clin d'œil.

— J'étais carrément amoureux de toi.

Elle le dévisage avec surprise.

— Encore une chose que tu aurais dû me faire savoir.

— Ça aurait changé quoi ? demande-t-il en haussant les épaules.

— Beaucoup de choses… ou rien. Nous ne le saurons jamais. Pourtant moi aussi, je craquais totalement pour toi. Et tu es toujours aussi mignon…

— C'est vrai ?

Elle lève les yeux au ciel.

— Ne fais pas comme si tu ne le savais pas !

La perdre a fait partie des moments les plus douloureux de son existence. Soudain, il a l'impression que la vie lui donne une seconde chance avec elle. Il s'approche jusqu'à frôler ses lèvres. Sous le charme de l'instant, Marion comble le vide entre eux. Les bras passés autour de son cou, elle l'embrasse. Il la serre contre lui. Le temps se fige autour d'eux jusqu'à ce qu'un frisson la secoue. Elle s'écarte de lui.

— J'ai froid.

Sur une impulsion, elle tape le code de la porte de son immeuble et l'attire à l'intérieur du sas d'entrée. Elle sort le badge magnétique de sa poche et le passe sur le lecteur sans cesser d'embrasser Milo. Il la suit dans le hall. Marion réalise soudain que c'est complètement débile de sa part. Ses parents sont chez elle. Elle ne peut pas monter avec Milo. Elle lui lance un regard indécis qu'il choisit d'ignorer.

Il pose ses lèvres dans son cou pour mordiller sa peau et elle lâche un gémissement explicite. Il la repousse lentement vers le muret qui délimite un jardinet luxuriant placé sous une verrière. Il passe ses mains sous ses fesses pour la hisser dessus. Avec des gestes habiles et décidés, il la débarrasse de ses bottes, de ses collants et de sa culotte.

N'importe qui pourrait les surprendre ou même les voir en passant dans la rue. Marion est d'ordinaire une personne très raisonnable, mais à cet instant, elle n'est plus que désir à satisfaire. Elle ouvre le pantalon de Milo pour le caresser.

Il murmure son nom avant de se mettre à fouiller dans sa poche arrière. Il sort un petit étui de son portefeuille. Après avoir enfilé un préservatif sur son sexe, il attrape ses cuisses à pleines mains et l'attire vers lui pour la pénétrer.

Marion se laisse envahir par la frénésie de cet accouplement débridé. Elle a le plus grand mal à retenir ses cris de plaisir alors que ses sens ont pris le contrôle. Il ne manquerait plus qu'alertés par le bruit les locataires du rez-de-chaussée sortent de chez eux pour la surprendre en plein orgasme !

Les mouvements de Milo se font plus saccadés. Il grogne avant de s'immobiliser contre elle. Le souffle court, il embrasse ses tempes.

Un geste empli de tendresse.

C'est à cet instant que Marion réalise l'énormité de ce qu'elle vient de faire. Elle fait mine de s'écarter de lui. Il recule docilement et se débarrasse du préservatif usagé dans la corbeille dans laquelle les résidents jettent les catalogues publicitaires trouvés dans leurs boîtes aux lettres. Marion ramasse ses vêtements pour se rhabiller.

Quand elle se retourne vers lui, il la regarde sans rien dire.

— Quoi ? demande-t-elle avec un soupçon d'agressivité.

Il sourit et caresse sa joue.

— Je suis content qu'on se soit retrouvés.

Elle se mord les lèvres.

— Je dois rentrer, maintenant.

Il approuve alors qu'elle appuie sur le bouton d'appel de l'ascenseur.

— OK. On se revoit bientôt ?

Il y a tant d'espoirs dans sa voix qu'elle hoche la tête.

— On s'appelle, déclare-t-elle vaguement.

Sans attendre, elle s'engouffre dans l'ascenseur dont les portes se referment avant que Milo n'ait le temps de lui signaler qu'elle ne lui a pas donné son numéro.

Marion n'a pas été dans son assiette aujourd'hui. Des flash-back de la soirée d'hier, façon stress post-traumatique, lui ont laissé une sensation de malaise diffus.

Elle a d'abord cru que cette bande de mecs alcoolisés allait lui faire du mal. Quand ils l'ont encerclée, elle se voyait déjà en sang sur le trottoir, tabassée, violée ou même morte. Et Milo a surgi de nulle part. Il l'a sauvée.

Quelques minutes seulement après avoir craint pour son intégrité physique, elle s'est pourtant jetée à sa tête. Elle n'en revient pas que la frontière ait été aussi floue dans son esprit, au point de basculer ainsi d'un extrême à l'autre. Elle a l'impression que si elle devait raconter sa soirée à quelqu'un, l'opinion qu'il pourrait avoir de son comportement serait déplorable. Aussi, elle a passé sa journée à se trouver des excuses pour cette attitude dévergondée qui ne lui ressemble pas du tout.

À sa décharge, avec le gars sur la place du RER, elle a clairement dit non. Alors qu'avec Milo, elle ne peut même pas se réfugier derrière des faux-semblants.

C'est elle qui l'a embrassé, qui l'a attiré dans le hall de son immeuble, qui s'est laissé déshabiller et qui s'est offerte à lui avec passion. Si elle n'avait pas donné l'impulsion initiale, elle est certaine qu'il n'aurait pas insisté.

Elle n'en revient pas elle-même. D'habitude, Marion a la tête sur les épaules, une idée précise de sa place dans la vie et des sacrifices à consentir pour atteindre ses objectifs. Et coucher avec le premier venu, aussi craquant soit-il, n'a jamais fait partie de ses plans.

Elle soupire en descendant du RER et se mêle au flux des banlieusards.

Même si ce qui s'est passé entre eux a été top, elle ne peut pas aller plus loin. Elle a entrepris des études de médecine. Or Milo, c'est le prototype du mauvais garçon, celui qui la distrairait de ses priorités et la ferait couler à pic. Il n'y a pas de place pour un mec comme lui dans sa vie, un boulet qu'elle devra traîner derrière elle et qu'elle n'osera pas présenter à ses amis.

Elle a bien vu hier soir qu'il la regardait comme si c'était elle le sauveur. Et malgré tout ce qui peut la toucher en lui, elle refuse de porter cette responsabilité sur les épaules. Elle a déjà assez à faire avec elle-même sans cela.

Quand elle débouche du sous-terrain sur la place, elle suit la foule des voyageurs qui se presse le long des allées. Elle entend alors des pas pressés derrière elle.

— Marion !

Elle se retourne. Son cœur s'emballe quand elle voit Milo arriver en courant. Elle remarque aussi ses potes.

— Que fais-tu là ? attaque-t-elle.

Il hausse les épaules.

— Je te guettais. Vu que tu ne m'as pas donné ton numéro de téléphone, je ne savais comment te joindre autrement.

La froideur de la jeune fille l'alerte.

— Tu vas bien ?

Il s'approche pour l'embrasser, mais elle esquive son geste.

— Pas trop.

Il l'observe alors qu'elle se remet à marcher. Il la suit quelques pas en arrière.

— Tu penses à hier soir ? devine-t-il.

— Oui.

Elle prend une inspiration.

— J'ai fait une bêtise, Milo.

— Quel genre de bêtise ?

Elle lui fait face et découvre son air fataliste.

— Ça n'a rien à voir avec toi, mais j'ai déconné. J'ai déjà un copain, Milo.

Même si dans les faits, Baptiste et elle ont décidé de faire une pause et ne se sont pas contactés depuis un mois, aucun des deux n'a officiellement rompu. Et même si au lit, Milo assure cent fois mieux, Baptiste a toutes les autres qualités qui manquent à son amour de jeunesse.

— Si tu as un mec, il te suffisait de dire stop et nous n'aurions pas été plus loin. Pourquoi tu m'as embrassé et fait entrer dans ce cas ? demande-t-il avec dureté.

Marion s'arrête quand ils arrivent devant chez elle. Il la dévisage, attendant qu'elle lui apporte une réponse. Avoir le mauvais rôle lui laisse un goût amer, elle doit l'avouer.

— Je ne sais pas. J'ai eu peur à cause de tes copains. Tu as surgi de mon passé pour me protéger et ensuite, tout s'est enchaîné. Je n'ai pas vraiment réfléchi à ce qui se passait.

— Tu ne crois pas à tes propres mensonges, Marion.

Milo n'a pas l'air de vouloir renoncer. Il se penche vers elle. Elle doit trouver quelque chose de plus convaincant avant de craquer. Si seulement, il n'était pas aussi… aussi… tout ! Elle se force à détourner les yeux de ses lèvres.

— Tu te trompes. Ce qui s'est passé entre nous était… sympa, mais ça ne se reproduira pas. Ne cherche pas à me revoir.

Il ressemble à un gars qui vient d'encaisser un uppercut. Elle se sent désolée pour lui.

Pourtant elle ne peut comprendre à quel point ce qu'elle vient de lui dire le dévaste. Milo a cru voir le bout du tunnel grâce à elle. Il sait que c'est con de se raccrocher ainsi à quelqu'un, mais il espérait qu'elle puisse l'aider à revenir du bon côté de la barrière.

Après un bref instant d'abattement, il sent la colère habituelle, sa vieille copine, l'envahir.

— Tu ne crois pas que tu aurais pu me dire tout ça avant qu'on couche ensemble ?

Gênée, Marion regarde autour d'elle, en particulier vers la fenêtre de sa vieille voisine, une vraie commère.

— Ne parle pas si fort, s'il te plaît.

— Quoi ? ironise-t-il. Tu ne veux pas que tes parents sachent que tu t'es fait sauter par un voyou au milieu du hall de leur immeuble de bourges ?

Il s'approche d'elle avec une expression menaçante.

— Hein ? Ils aimeraient sans doute savoir que leur fille est une petite pute dévergondée !

— Milo ! Calme-toi ! supplie-t-elle en tentant de le repousser.

— Qu'est-ce qui se passe, Marion ? Qui est ce garçon ?

Milo recule et fait face au nouveau venu. Marion se retourne aussi vers son père avec une mine consternée. Est-ce qu'il a entendu les accusations portées par Milo ?

— Je ne sais pas si tu te souviens de lui, papa, improvise-t-elle. Milo et moi, nous étions ensemble au collège.

Son père dévisage Milo, remarquant sa posture agressive et son expression butée. Même si ce gosse l'impressionne, il n'en laisse rien paraître. Son visage reste déterminé quand il insiste.

— Est-ce qu'il t'ennuie ?

Milo lance un regard vers Marion, comme s'il lui laissait une ultime chance de rétablir la vérité ou de changer d'avis. Avec une lâcheté déconcertante, elle profite de la présence de son père pour clore leur échange.

— Non. Il partait justement.

Sans le regarder, elle s'engouffre derrière son père par la porte de l'immeuble. Milo reste seul sur le trottoir, privé de l'unique fille qui a un jour compté pour lui. Ce qu'elle vient de lui faire, c'est pire que tout. Elle vient de le reléguer au rang d'indésirable sans un battement de cils.

Pourtant, elle peut dire tout ce qu'elle veut, ce qui s'est passé entre eux était intense. Qualifier ce moment de « sympa » est réducteur et insultant, autant pour lui qui a joué le rôle d'étalon que pour son soi-disant copain qui se retrouve cocu pour un truc qui n'en valait pas vraiment la peine. Une fois de plus, Milo a l'impression de ne rien valoir. Son ego est en morceaux.

Il doit vite reprendre le dessus et remplacer l'auto-apitoiement par de la haine, sinon il va couler à pic. Et pour ça, il a une solution radicale : boire pour oublier sa déconvenue et son humiliation et fumer pour planer au-dessus de sa pitoyable réalité.

Le cœur en miettes, Milo part rejoindre ses potes. Avec eux, il va pouvoir se laisser glisser dans l'ombre et s'y fondre sans qu'ils y trouvent quoi que ce soit à redire.

— Marion ? Tu vas être en retard, si tu ne te lèves pas.

Nathalie ouvre la porte de la chambre de sa fille et passe la tête dans l'encadrement.

— Marion ? Lève-toi !

Prise d'un affreux soupçon, elle appuie sur l'interrupteur et découvre que la chambre est vide. Le lit n'est même pas défait et ses classeurs et livres de cours sont encore ouverts sur son bureau.

Elle entre dans la cuisine en coup de vent et se poste devant son mari.

— Tu as vu Marion ce matin ?

Agacé parce qu'elle l'empêche de regarder les infos, il se déporte légèrement.

— Non…

— Charles ! Est-ce que Marion devait dormir ailleurs cette nuit ?

Il se décide enfin à s'intéresser à ce qu'elle dit.

— Je ne pense pas. Elle est rentrée en même temps que moi hier soir.

— Elle avait prévu de ressortir ?

— Pas que je sache…

La voix de Nathalie devient plus aiguë sous l'effet de l'agacement.

— Pas que tu saches ? Elle n'est pas dans son lit ! Est-ce qu'elle est déjà partie à la fac ?

— Je n'en sais rien, moi ! Appelle-la sur son portable.

Nathalie se précipite sur le téléphone de la cuisine et compose le numéro de sa fille. Dès que la sonnerie joyeuse retentit dans l'appartement, elle sait que quelque chose de grave a dû se produire. Charles relève la tête de ses tartines avec une expression incrédule plaquée sur le visage.

— Son téléphone est ici, constate-t-il platement.

Leur fille est hyperconnectée, comme tous les gosses de sa génération. Jamais elle n'aurait laissé son portable à la maison si elle avait prévu de s'absenter toute la nuit ou si elle était déjà partie en cours. Ils arrivent en même temps à une conclusion identique.

— Elle nous aurait prévenus si elle devait sortir.

Charles tente de rassembler ses idées.

— Elle a peut-être laissé un mot quelque part.

Ils se raccrochent à cet espoir le temps de fouiller chaque pièce et de constater que leur fille s'est volatilisée.

— Qu'est-ce qu'on fait ?

S'ils paniquent trop rapidement, ils risquent de passer pour des hystériques. Mais si la vie de leur fille est en danger et qu'ils ne font rien…

— Tout ça ne colle pas !

D'un geste vif, Nathalie attrape le combiné. Avant de changer d'avis par crainte du ridicule, elle appelle la police. Elle leur explique la situation. Son interlocuteur tente de la rassurer, de lui expliquer qu'ils ne peuvent rien faire parce que leur fille n'a pas disparu depuis assez longtemps, qu'elle a peut-être simplement pris la tangente. À chaque fois, elle le contre. Père de famille lui aussi, son interlocuteur finit par céder et par envoyer une équipe sur place.

Moins d'une demi-heure plus tard, deux policiers frappent à leur porte.

Le plus gradé, Lucas Dernon, n'a pas l'air particulièrement inquiet lorsqu'il pose ses questions d'une voix lasse. Il se demande même carrément ce qu'ils foutent ici.

— Votre fille aurait-elle pu vouloir prendre un peu de distance avec sa vie actuelle ?

Charles et Nathalie, assis l'un à côté de l'autre sur le canapé du salon, se tiennent mutuellement la main pour se rassurer.

— Comme ma femme l'a précisé à votre collègue, Marion est en fac de médecine, se récrie Charles. Elle est sérieuse, brillante et heureuse. Pourquoi irait-elle risquer de tout perdre ?

— Avez-vous vérifié l'état de ses placards ? Manque-t-il des affaires ?

— Je l'ai déjà fait, indique Nathalie. Son sac à main avec ses papiers et son argent est encore sur son bureau. Tous ses vêtements sont à leur place sauf ceux qu'elle portait hier.

— Vous pouvez nous les décrire ?

— Un jean bleu, un pull beige, des bottines en cuir marron et un anorak de couleur bronze.

— Votre fille a peut-être simplement découché sans vous prévenir.

Nathalie secoue la tête et se passe une main tremblante dans les cheveux.

— Nous ne l'avons jamais empêchée de sortir. Nous avons une relation de confiance. Si elle avait eu un rendez-vous, elle nous l'aurait simplement dit. De plus, elle était à la maison quand on s'est mis au lit à vingt-trois heures.

Le policier cherche un nouvel angle d'attaque.

— Vous êtes-vous disputés récemment ?

— Non ! s'écrit-elle.

D'un regard, Dernon se fait confirmer l'information par le père.

Son collègue, Kylian Pascaux, a dû parvenir à la même conclusion que lui et se lève pour aller vérifier la porte d'entrée.

— Il n'y a aucune trace d'effraction. Où sont les clefs de votre fille ?

— Je ne les ai pas trouvées.

Il ouvre la porte qui pivote sans faire de bruit.

— Votre fille a pu sortir sans que vous vous en rendiez compte.

— Après vingt-trois heures ? Ça n'a pas de sens ! affirme Nathalie.

— Ma femme a raison. Si Marion a envie de sortir, elle nous l'annonce. Elle n'attendrait pas qu'on se couche pour se faufiler hors de la maison.

— Sauf si elle pensait ne pas en avoir pour longtemps…

— Vous avez essayé de la contacter ? demande Lucas.

— Oui, mais son portable est resté ici, indique Charles. Pourtant, elle ne fait jamais rien sans lui.

Kylian hoche la tête tout en prenant des notes.

— Elle a pu l'oublier..., suggère Lucas.

— Dans ce cas, elle nous aurait déjà appelés, annonce Nathalie la gorge serrée.

— Pouvez-vous nous montrer le téléphone, s'il vous plaît ?

Nathalie se lève pour aller le chercher. Elle le lui tend après avoir déverrouillé l'appareil. Lucas remarque le geste. Il se fait la réflexion qu'il ignore totalement le code d'accès des téléphones de ses enfants. Pire, si on lui posait les mêmes questions, il serait incapable d'être aussi affirmatif que les parents de cette jeune fille. Manifestement, Marion n'a rien à cacher. Il se rembrunit en se disant que les Nobel ont peut-être de sérieuses raisons de s'inquiéter.

— Marion a échangé des textos avec une amie jusqu'à une heure du matin avant-hier, annonce Kylian.

Il en lit quelques-uns à voix haute.

— « T'étais où ? T'avais promis de m'envoyer un texto en arrivant chez toi. » « Pas pu. J'ai eu un imprévu. » « Quel genre ? » « Une mauvaise rencontre. » « Mauvaise comment ? » « Un mec de mon passé qui a mal tourné. » « Qu'est-ce qui s'est passé ? Raconte ! » « Demain, là je suis trop mal. »

— Il y a des détails concernant ce gars ? demande Lucas. Est-ce qu'il a un prénom ce bad boy ?

— Rien de plus que ce que j'ai lu.

Charles se redresse soudain.

— Milo !

Nathalie le dévisage sans comprendre.

— Milo ?

— Oui. Je rentrais du travail et j'ai entendu des bribes de la discussion que tenait Marion avec un garçon sur le trottoir. Il était énervé et on aurait dit qu'elle avait peur de lui. Elle a eu l'air soulagée que j'intervienne. Elle me l'a présenté comme un ancien camarade de classe.

Nathalie tourne la tête vers les policiers.

— Il doit s'agir de Milo Léman ! Ils étaient au collège ensemble.

— Ils avaient repris contact récemment ? demande Lucas.

— Pas à ma connaissance. Si je me souviens bien, le gosse a mal tourné en cinquième. Marion s'est éloignée de lui et il a finalement été expulsé après avoir frappé un élève. Je ne savais pas qu'ils s'étaient revus.

Kylian intervient.

— Vous avez bien dit Milo Léman ? C'est le beau-fils de Franck, précise-t-il diplomatiquement à son collègue.

Cette fois plus de doute, Lucas remet un visage sur le nom du jeune délinquant.

— Monsieur Nobel, qu'avez-vous entendu de leur dispute exactement ?

Charles rougit.

— Elle était gênée parce qu'il parlait fort. Il le faisait exprès, d'ailleurs.

— Que disait-il ?

— Il... Ses propos étaient très insultants... il parlait de ce qui s'était passé entre eux...

Il soupire.

— Dans le hall de notre immeuble.

Charles baisse les yeux.

— Il la menaçait à ce propos.

— Marion vous a fourni des précisions ?

Charles ne peut cacher sa moue désolée.

— Elle était si bouleversée que je me suis dit qu'il valait mieux faire comme si je n'avais rien entendu…

Alexandra se verse du café dans une tasse. La maison est silencieuse. Franck, qui a réinvesti les lieux à la première occasion, et Milo dorment encore. Franck a travaillé cette nuit et il s'est couché directement en arrivant. Milo quant à lui est rentré vers une heure du matin. Elle l'a entendu se cogner dans les meubles et vomir dans les toilettes, avant de se jeter tout habillé sur son lit, alors elle imagine qu'il n'est pas près d'émerger.

— 'jour…

Elle se retourne et découvre la mine chiffonnée de son fils.

— Déjà debout ? Ça va ? Tu veux quelque chose ?

Il secoue la tête et détourne les yeux pour qu'elle ne voie pas qu'ils sont pleins de larmes.

— Il y a un problème, Milo ?

Elle remplit un mug et le lui tend. Il l'accepte d'un hochement de tête.

— Qu'est-ce qui a mal tourné dans ma vie ? Pourquoi je gâche toujours tout ?

Elle serre les lèvres.

— Tu n'as pas toujours fait les bons choix..., suggère-t-elle. Et tes amis ne sont pas des gens très fréquentables...

Il émet un claquement de langue agacé. C'était une question à laquelle il n'attendait pas de réponse.

— J'en ai marre de tout. Ma vie est vraiment merdique.

Alexandra est surprise. Milo a toujours affronté l'adversité et les conséquences de ses débordements avec courage.

— Que s'est-il passé, Milo ? s'inquiète-t-elle.

— Je... Oh, laisse tomber !

Il cache son visage dans ses mains.

— J'ai un putain de mal de crâne !

Alexandra s'empresse d'aller lui chercher des cachets. Elle l'a rarement vu se mettre dans un état pareil. Sa curiosité est piquée, elle doit l'admettre.

— Tu t'es disputé avec un de tes potes ?

Il lui tourne le dos.

— Je t'ai dit que je ne veux pas en parler !

Il disparaît dans le couloir et claque la porte de sa chambre derrière lui. Alexandra, qui se tenait prête à le rappeler, ravale ses paroles, dépitée par ce énième rejet. Même si elle n'est plus à ça près avec Milo, la douleur et l'angoisse sont toujours aussi présentes. À chaque fois, elle se demande ce qu'il a pu faire et ce qui risque de lui tomber dessus par ricochet.

Elle porte sa tasse à ses lèvres. Milo a raison. Même aujourd'hui, avec le recul, elle a toujours autant de mal à comprendre ce qui a été de travers dans leurs vies. À la mort de Victor, les choses n'ont fait qu'empirer et prendre de l'ampleur.

Elle se souvient avec horreur du moment où Milo lui a annoncé qu'après son échec au bac pro, il arrêtait ses études. Elle ressent encore une honte mordante au souvenir de sa première interpellation pour possession de drogue. Cet enfant, son enfant, ne lui a apporté que terreur et détresse.

Chaque seconde qui passe, elle craint la suivante. Elle l'imagine accusé des pires choses, emprisonné à vie, mort assassiné par ses codétenus, comme son père.

Elle ferme les yeux. Elle sait que son fils aura sa peau, un jour.

Elle n'envisage évidemment pas qu'il la tue physiquement. Elle pense plutôt que ce stress permanent qui ruine ses journées finira par la ronger de l'intérieur. Jour après jour, Milo creuse sa tombe. Elle ne sait pas si c'est la règle, ou si elle a vraiment tiré le gros lot, mais elle a fini par conclure que les enfants sont là pour détruire leurs géniteurs. Elle s'est fait tellement de mauvais sang pour son fils, qu'un jour son corps lui réclamera l'addition sous la forme d'un cancer ou d'un truc tout aussi grave et ravageur qui achèvera de lui pourrir la vie…

Elle termine son café. Tout en mettant sa tasse dans le lave-vaisselle, elle jette un rapide coup d'œil vers la pendule.

Si elle traîne encore, elle va finir par louper son train. Heureusement, elle n'a pas reçu d'alerte trafic ce matin. Comme tous les usagers du RER C, elle a appris à redouter le petit son aigrelet de l'application Transilien.

Elle sort de la cuisine pour aller se laver quand la sonnette de la porte d'entrée résonne dans la maison.

Elle ne peut se retenir de grimacer sous l'effet d'une angoisse soudaine.

Oh, voyons ! Il n'y a rien à craindre. Elle va ouvrir la porte.

— Bonjour, madame Léman.

Deux hommes se tiennent face à elle.

— Police, madame. Votre fils est-il chez vous ?

— Heu… oui.

Surprise, elle se reprend vite.

— Que lui voulez-vous ?

— Lui parler. Pouvons-nous entrer ?

Alexandra s'efface pour les laisser passer.

— Je vais chercher Milo.

Les épaules basses, elle se demande encore ce que son fils a pu faire pour que des policiers le réclament. Avant même de savoir de quoi il s'agit, elle a envie de pleurer. L'intrusion de ces hommes chez elle lui rappelle furieusement la nuit où la vie de leur famille a basculé dans le chaos.

Elle frappe à la porte de la chambre de son fils, derrière laquelle il écoute « Who Mad Again ».

— Milo ? S'il te plaît.

— Quoi ?

Elle pose son front sur le battant.

— La police est là. Ils veulent te parler.

Elle entend du bruit à l'intérieur puis des pas qui se rapprochent. Il ouvre.

— La police ?

Elle le suit dans le salon.

Dès que Lucas aperçoit Milo, il pense à son propre fils, Sébastien. Cette génération a fait du laisser-aller et du je-m'en-foutisme un art de vivre et, par ricochet, un moyen de pousser leurs parents à la folie. La cool-attitude poussée à son paroxysme ! Instinctivement, il ressent de l'aversion pour ce gamin.

— Je m'appelle Lucas Dernon et voici mon collègue Kylian Pascaux. Nous avons été contactés très tôt ce matin parce qu'une jeune fille a disparu.

Alexandra se tourne vers Milo.

— Une jeune fille ? Quelle jeune fille ?

Milo est un garçon très secret. Elle ne sait rien de sa vie privée. Pascaux dévisage Milo.

— Marion Nobel.

Milo se décompose.

— Marion a disparu ?

— Cette nuit, oui. Et vous faites partie des dernières personnes à l'avoir vue.

Milo secoue la tête.

— On a discuté hier soir, effectivement.

— Discuté de quoi ?

Milo soupire.

— De nous deux…

Pascaux insiste.

— Son père dit qu'il vous a plutôt entendus vous disputer.

Alexandra est encore debout au milieu de la pièce et tourne la tête à chaque échange. Soudain, elle réalise la tournure que prennent les événements.

— Mon fils a-t-il besoin d'un avocat ? attaque-t-elle.

Lucas lui lance un regard agacé.

— Si vous pensez qu'il est coupable, oui.

Alexandra serre les lèvres. Il acte ce geste de recul involontaire et essaie de la mettre en confiance.

— Nous voulons juste savoir si votre fils sait quelque chose qui pourrait nous aider à retrouver Marion.

Il se tourne à nouveau vers Milo dont l'attitude est celle d'une personne confrontée à un échec insurmontable.

— J'avais les boules parce qu'elle venait de me larguer, admet-il.

Kylian ne peut cacher une moue dubitative.

— Nous avons procédé à une fouille du hall de son immeuble et nous avons retrouvé un préservatif usagé. Nous devons prendre un échantillon de votre ADN pour comparaison.

Milo hausse les épaules et les laisse procéder à un prélèvement de salive sous le regard méfiant de sa mère.

— C'est sans doute celui que j'ai utilisé quand on a couché ensemble.

— Et elle était d'accord ? susurre Lucas.

Alexandra vole au secours de son fils.

— Je ne vous permets pas…

— Maman, c'est bon. Ne t'inquiète pas, lui dit-il avec douceur. Je ne l'ai pas forcée si c'est votre question, enchaîne-t-il à l'intention des policiers.

Kylian prend le relais.

— Elle a échangé des textos assez ambigus au sujet de cette soirée avec une amie. Si on ajoute votre dispute…

Milo encaisse cette information avec une petite grimace douloureuse.

— Je ne lui ai rien fait de mal.

— Alors pourquoi vous êtes-vous disputés ?

— Vous n'auriez pas la rage, vous, si une fille que vous aimez bien vous sautait dessus pour vous annoncer ensuite qu'elle a déjà un copain et qu'elle ne compte pas vous revoir ?

— Ça vous a fait quoi de l'apprendre ?

— J'étais dégoûté, reconnaît-il avec amertume.

— Nous avons interrogé les voisins de son immeuble et certains ont entendu des hurlements et des insultes en pleine nuit. Vous y êtes retourné pour essayer de la faire changer d'avis ?

Le visage de Milo reste neutre. Il a tellement bu pour oublier qu'il ne se souvient de rien. Est-ce qu'il aurait pu faire ça ? À vrai dire, il n'en sait rien.

— C'était à quelle heure ? contre-attaque Alexandra en remarquant l'hésitation de Milo.

— Vers onze heures et demie. Cela pourrait expliquer pourquoi Marion est ressortie de chez elle en ne prenant que ses clefs. Elle voulait peut-être vous empêcher d'ameuter tout le quartier.

— Quelqu'un a reconnu mon fils ?

— Pas pour le moment, admet Kylian.

L'enquête de voisinage n'a donné aucun résultat pour le moment. À cette heure-là, les gens se sont contentés de monter le son de la télé ou de continuer à dormir.

Alexandra se sent soulagée avant de noter la formulation du policier. Il a déjà condamné Milo. Elle prend alors une décision : son fils ne suivra pas les pas de son père en prison. Elle est prête à tout pour cela, même à mentir. Même à prendre le risque de voir un témoin surgir et contredire sa version.

— Et ça n'est pas près d'arriver parce que Milo était déjà rentré à ce moment-là, affirme-t-elle. À dix heures et demie, il était au lit.

Milo lance un coup d'œil surpris vers sa mère.

— C'est vrai ? demande Lucas à qui l'échange n'a pas échappé.

— Oui, confirme Milo d'une voix posée.

Quel autre choix sa mère lui a-t-elle laissé ?

— Alors vous n'avez aucune idée de ce qui a pu arriver à Marion Nobel ? demande Pascaux.

— Je ne l'ai pas revue après la scène que son père vous a racontée.

Et il se prend à espérer que ça soit vrai.

Lucas et Kylian sortent de chez les Léman pour rejoindre leur véhicule garé un peu plus loin.

— Tu le crois ?

Kylian hausse les épaules.

— Il a l'air sincère à propos de ce qu'il éprouve pour elle. Tu as senti cette odeur d'alcool ? Il a dû s'en mettre une sévère.

Il se frotte les joues.

— J'ai plus de doutes concernant l'alibi fourni par la mère…

Lucas confirme qu'il a la même impression.

— Ça tombait un peu trop à pic.

— Admettons, la gosse retrouve un ancien pote d'école. Milo est loin d'être dégueu, commence Kylian. Ils fricotent un peu, et la petite bourgeoise se laisse sauter par un délinquant.

— Pourquoi elle aurait fait ça ? demande Lucas à qui la tête de Milo ne revient vraiment pas.

— Les femmes aiment bien les mauvais garçons. Ce Milo Léman respire les emmerdes à plein nez. Elle voulait du frisson, du danger…

Lucas ne peut cacher une petite moue boudeuse.

— Ouais…

Kylian poursuit.

— Sauf qu'une fois rentrée chez papa-maman, elle regrette ce qu'elle a fait et se demande comment elle va assumer, surtout si elle a un copain, comme elle l'a dit à Milo Léman, et comment elle va se débarrasser de son encombrant soupirant.

Lucas approuve.

— Elle sera pas la première… ni la dernière…

Ils montent en voiture.

— On fait quoi, alors ?

— Rien, décide Lucas. Elle a disparu depuis quelques heures à peine. Laissons-lui le temps de refaire surface.

— Vous avez trouvé une piste ?

Cueilli à froid alors qu'il squattait devant la machine à café, Francesco Meduro, qui vient officiellement d'être saisi de l'enquête concernant la disparition de Marion Nobel, se rembrunit.

— Pas pour le moment…

— Mais ça fait presque trois jours ! s'exclame le père de la jeune femme.

Le policier hoche gravement la tête. Après les vérifications d'usage le jour où ses parents ont déclaré sa disparition, les policiers qui ont répondu à l'appel ont laissé couler.

D'un point de vue purement professionnel, qui pourrait leur reprocher d'avoir temporisé ? Il n'y avait aucun élément venant appuyer la thèse d'une disparition inquiétante : pas d'effraction, pas de sang, ni de messages prouvant qu'elle aurait pu être victime de harcèlement, ni d'élément faisant craindre qu'elle ait préparé son départ. Rien de plus que cette histoire avec Milo Léman qui a un alibi pour la soirée. Même si dans son cas, ce mot se prononce entre guillemets.

Ils ont entériné l'idée qui suggérait qu'après avoir couché avec lui, la gosse avait voulu prendre le large et qu'elle referait surface rapidement.

S'il était confronté à un cas identique aujourd'hui, Francesco agirait exactement comme eux. Et dans presque cent pour cent des cas, les faits lui auraient donné raison. Alors pourquoi pas cette fois ?

— Je le sais, déplore-t-il.

Il ouvre la porte de son bureau.

— Entrez, je vous en prie.

Charles Nobel s'assoit face à lui sur une des deux chaises dépareillées. Des cernes et des rides profondes creusent ses traits, comme s'il n'avait pas dormi depuis des semaines.

Il attaque pourtant sans perdre une seconde.

— Ma femme a posté un message sur les comptes Facebook, Twitter, Instagram, WhatsApp et Snapchat de Marion pour savoir si un de ses amis l'a vue récemment.

Sa voix se fêle et il s'interrompt pour reprendre le contrôle.

— Nous avons reçu de nombreux messages de sympathie, mais aucune information intéressante. Nous sommes désespérés.

Il lève les yeux au ciel pour chasser ses larmes.

— Nous avons contacté la presse…

Une sueur froide dégouline le long du dos de Francesco.

— Mais aucun journaliste n'a donné suite à nos messages.

Il retient un sanglot.

— Je ne sais pas quoi faire.

— Parce que ce n'est pas à vous de faire quoi que ce soit. Mon équipe et moi reprenons la main.

Après lui avoir posé de nombreuses questions sur la personnalité et les habitudes de sa fille, Francesco raccompagne Charles Nobel jusqu'à sa voiture.

Il le regarde s'éloigner en songeant aux défauts du système. Quand les Nobel ont appelé la police, il était trop tôt pour s'inquiéter. Et à présent, il est sans doute trop tard. Le poids de cette certitude s'abat sur ses épaules.

Il convoque son équipe composée de Jean Flamand et Paul Hirson, ainsi que Kylian Pascaux, en l'absence de Dernon, puis démarre la première réunion d'une longue série, il le craint.

— Tu nous fais un topo ? demande-t-il au jeune policier.

— La veille de sa disparition, Marion Nobel a eu un rapport sexuel avec Milo Léman, dans le hall de l'immeuble où elle vit. Les textos de la jeune femme sont assez ambigus quant au côté consenti de la chose, mais Léman affirme qu'elle était d'accord. Quand ils se sont revus le lendemain, elle l'a largué avec pertes et fracas. J'ai l'impression qu'il tenait à elle, car il l'a vraiment mal pris. Charles Nobel a entendu la fin de leur dispute et les menaces que le jeune homme a proférées à l'encontre de sa fille.

Les trois hommes l'écoutent avec attention.

— Vers vingt-trois heures trente, des voisins nous ont rapporté qu'ils ont entendu des cris dans la rue. Le matin suivant, la jeune femme avait disparu en emportant seulement les vêtements qu'elle portait et les clefs de l'appartement. Nous avons rendu visite à Milo pour prélever son ADN et l'interroger sur les raisons de leur dispute. Alexandra Léman a alors indiqué que son fils était rentré de bonne heure, annonce Kylian, mais Dernon et moi, on a quelques doutes. Même le gosse a eu l'air étonné en entendant sa mère.

Francesco Meduro secoue la tête et réfléchit quelques secondes.

— Je pense qu'on devrait vérifier son alibi auprès de sa bande de potes. Si elle a inventé son histoire, nous le découvrirons vite.

Sa bande de potes ? Des délinquants notoires ? Avec un mouvement de recul explicite, Jean Flamand, le benjamin de la bande, doté d'un physique potelé et de cheveux blonds, tirant sur le roux, coupés en brosse, s'étonne.

— Tu crois qu'ils vont accepter de nous parler ?

— Ils ont intérêt. La petite Nobel a disparu depuis presque trois jours.

Il se tourne vers Paul Hirson, la petite quarantaine, les cheveux noirs parsemés de fils blancs, discret, mais d'une efficacité redoutable.

— Toi et Jean, allez les voir, tentez d'obtenir des infos. Je contacte la copine de Marion, celle avec qui elle a échangé des textos le soir où Milo et elle se sont revus. Elle a peut-être des détails à nous transmettre sur son fameux copain et sur la partie de jambes en l'air que Marion semblait regretter.

— Tu penses que Milo Léman aurait pu la violer finalement ? demande Jean.

— Ce gosse, c'est de la mauvaise graine, comme son père, affirme Francesco, le plus âgé des trois, charismatique, type italien, silhouette sèche de sportif.

Il leur explique brièvement le profil de Victor Léman.

— Je ne sais pas… Il n'a pas cherché à nier qu'il s'était passé quelque chose entre eux, argumente Kylian.

— Avec le préservatif plein d'ADN qu'il a laissé sur place, il aurait été con de le faire !

Jean abonde dans le sens de Kylian :

— Il n'a pas non plus tenté de minimiser les raisons de leur dispute.

Francesco rejette leurs arguments.

— Cette dispute nous fournit un mobile, bien au contraire, donc on vérifie toutes les pistes. Et au passage, on va devoir organiser une battue et visionner les images des caméras autour du domicile de Marion.

— C'est une rue résidentielle tranquille, remarque judicieusement Paul, les caméras les plus proches sont à quelques centaines de mètres, au carrefour de l'avenue du Maréchal-Leclerc et de la rue des Rosiers.

Le visage de Kylian s'affaisse brutalement.

— Dernon et moi, nous n'avons pas demandé le blocage des images, lance-t-il d'une voix sombre. On a vraiment cru à une querelle d'amoureux…

— Les enregistrements sont donc détruits à l'heure actuelle, annonce Paul d'une voix blanche.

— Je suis désolé…, soupire Kylian.

Mickaël a dix-neuf ans, mais il a l'expérience des arrestations, souvent justifiées, parfois totalement arbitraires. Il n'a donc qu'un regard à jeter vers les deux gars qui viennent à leur rencontre pour savoir que ce sont des flics. Tout dans leur attitude et leur démarche les trahit.

Une bouffée de haine l'envahit à l'idée des humiliations à venir. Comme il traîne toujours avec sa bande sur la place du RER de Lomigny-sur-Antelle, les flics n'ont pas à fournir beaucoup d'efforts pour les trouver et les menotter devant une foule de badauds qui pensent assister à un acte de bravoure inouïe.

Mickaël n'ira pas jusqu'à prétendre qu'ils sont toujours blancs comme neige, mais cette fois, ils n'ont rien à se reprocher.

L'attitude pleine de nervosité des deux poulets prouve qu'ils savent qu'ils sont repérés.

Jean Flamand lève la main avec une feinte désinvolture.

— Salut les gars.

Mickaël s'interpose entre eux et ses quatre potes.

— On a rien fait !

— Ouais ! Barrez-vous !

La remarque vient de fuser de l'arrière du groupe. Paul Hirson prend le relais d'une voix rassurante.

— On n'est pas venus pour vous faire des histoires.

— Et vous pensez qu'on va vous croire ? se moque Mickaël.

— Ça nous arrangerait…

Après cette remarque inhabituelle, un silence de quelques secondes plane entre eux. Mickaël a l'impression que ces deux flics sont aussi mal à l'aise que lui à cet instant. Il se détend légèrement.

— Alors pourquoi vous êtes là ?

— On voudrait vous demander de l'aide.

Mickaël sent un frémissement de curiosité parcourir ses potes. Oubliant sa méfiance, il hoche légèrement la tête pour donner son assentiment.

— Vous êtes au courant pour la fille qui a disparu ?

Mickaël est pris au dépourvu. Il lance un coup d'œil vers Manu. Pedro, Samir et Ludo ont l'air aussi largués que lui.

— Quelle fille ?

— Vous n'en avez pas entendu parler ? Des volontaires et des policiers ont participé à plusieurs battues pour tenter de la retrouver ces derniers jours. Ils en ont parlé à la télé. Elle s'appelle Marion Nobel…

Ludo réagit.

— Marion ? Ça me dit quelque chose…

Paul sort une photo de la jeune fille pour la leur montrer.

— C'est elle. Vous la reconnaissez ?

— Manu ! l'interpelle Samir. C'est pas la fille que t'as essayé de draguer l'autre soir ?

Le fameux Manu hausse les épaules.
— Peut-être…
— Tu l'as draguée, oui ou non ? insiste Jean.
— Dis-lui ce qui s'est passé, Manu, suggère Mickaël.
Paul et Jean sont agréablement surpris par la tournure des événements.
— J'ai essayé de discuter avec elle, mais elle a eu peur.
Les deux policiers imaginent bien la scène. Ils comprennent parfaitement la frayeur de la jeune femme face à cette bande.
— Que s'est-il passé ensuite ? poursuit Paul.
— Milo la connaissait. Ils sont partis tous les deux, ronchonne-t-il.
— Il l'a suivie ?
— Ce n'est pas ce qu'il a dit, se rebiffe Mickaël.
— Tu t'appelles comment ? lui demande Paul.
— Mickaël.
— OK, Mickaël. Je reformule. Tu as eu l'impression qu'elle se sentait en sécurité avec lui ?
Il opine.
— Carrément. Ils avaient l'air de bien se connaître, Milo et elle. Elle souriait.
Mickaël se rembrunit soudain.
— Vous cherchez à mettre sa disparition sur le dos de Milo ?
Jean se récrie.
— Non ! On veut justement pouvoir le sortir de la liste des suspects potentiels grâce à cette discussion.
Mickaël le toise un instant, pas certain de pouvoir le croire.

— Ça pouvait pas être lui, parce qu'on l'a revue le lendemain.

— Qui ça ? Milo ?

— Non, la fille. Milo était avec nous. Il la guettait.

— Il voulait sans doute remettre ça…, ricane Pedro.

D'autres vannes douteuses fusent.

— Hé, les mecs, elle a disparu, je vous rappelle.

La remarque de Mickaël les calme.

— Il était quelle heure quand vous l'avez vue ?

Mickaël se tourne vers ses potes pour qu'ils confirment.

— Dix-neuf heures max.

— Comment se sont passées les retrouvailles ?

Manu rigole.

— Fraîchement… Il a voulu l'embrasser, mais elle a tourné la tête.

— Ils se sont disputés ?

Mickaël secoue la tête.

— Non, ils discutaient calmement quand ils se sont éloignés.

— Et vous avez revu Milo ?

— Ouais. Une bonne demi-heure plus tard. À son retour, il était dans un sale état.

— Elle venait de le larguer, précise Manu avec une espèce de joie revancharde.

— Il était en colère contre elle ?

Mickaël hausse les épaules.

— Non. Juste dégoûté. Il a réclamé à boire, et après ça, il a fait que picoler.

— Il est parti vers quelle heure ?

— Il devait être dix heures. Il était totalement déchiré. Ça faisait peine à voir.

— Vous êtes sûrs de l'heure ?

— Oui, parce qu'on a tous suivi le mouvement quelques minutes plus tard. Il nous avait plombé le moral…

— Les mecs, vous voyez pas qu'ils vous enfument ? s'énerve Samir. Ils sont en train d'essayer de vous faire dire que Milo est retourné la voir, cette pétasse !

Jean et Paul secouent la tête en captant le changement d'attitude de la bande.

— Vous venez de confirmer la version de la mère de Milo. Pas de panique, avance Jean.

— C'est normal dans un cas comme celui-là, d'essayer de reconstituer les dernières heures de la personne disparue, poursuit Paul.

— Ouais, ben comme on vient de vous le dire, Milo n'y est pour rien ! affirme Mickaël.

Et sa posture agressive leur fait comprendre que cette collaboration improbable, aussi fragile qu'une bulle de savon, vient d'éclater. Après ça, Jean et Paul quittent rapidement le groupe.

Leïla Salimaa est assise en face de Francesco. Elle croise ses longues jambes fines. Il détourne les yeux, car sa jupe très courte lui offre une vue plongeante sur ses cuisses galbées.

— Merci de t'être déplacée pour cette entrevue.

— C'est normal.

— Tu connais bien Marion ?

La jeune femme hausse les épaules.

— On traîne ensemble depuis le début de l'année.

— Vous vous racontez beaucoup de choses ?

— Pas mal…

— Parle-moi du copain de Marion.

— Baptiste ?

— Baptiste comment ?

— Longueuil.

Elle rejette en arrière ses longs cheveux noirs ondulés.

— Je l'ai rencontré plusieurs fois, mais on n'a jamais vraiment parlé ensemble. À chaque fois qu'elle le traînait à une de nos soirées, il se faisait chier et il restait dans son coin.

— Il est comment avec Marion ?

— Pas très sympa. Il lui faisait souvent la gueule parce que depuis qu'elle était à la fac, ils ne se voyaient plus beaucoup. Ils ont finalement décidé de prendre leurs distances.

La nouvelle surprend Francesco, même si l'emploi du passé aurait dû l'alerter.

— Concrètement, lequel a quitté l'autre ?

— Ils se sont séparés d'un commun accord.

— Il y a longtemps ?

— Un bon mois… Pourquoi ?

— Marion t'a parlé de son histoire avec un gars qu'elle connaissait depuis le collège, n'est-ce pas ?

— Un peu.

— Elle a rompu avec lui en lui disant qu'elle avait déjà un copain. Ce qui ne semble pas être le cas d'après ce que tu viens de me dire.

Leïla soupire.

— Marion n'a pas été très précise sur ce qui s'est passé entre ce mec et elle. J'ai l'impression qu'elle avait super honte.

— Honte parce qu'il aurait pu la forcer à faire quelque chose qu'elle ne voulait pas ?

— Je ne sais pas. Tout ce que je sais c'est qu'elle n'avait pas l'air dans son assiette le lendemain.

Francesco comprend que Marion est restée très évasive. Il adopte un autre angle.

— Est-ce que Marion t'a parlé de ce fameux garçon ?

— Elle m'a dit qu'il traînait avec une bande de racailles, qu'ils lui ont fait super peur. Il l'a aidée, mais il la faisait quand même flipper.

— Tu es certaine de ça ? insiste-t-il avec une expression pleine d'attente.

Certaine ? Leïla ne pourrait le jurer, mais ça semble faire plaisir au policier, alors elle confirme ce qu'elle vient de dire.

— Je crois que oui.

Quand Jean et Paul reviennent au commissariat, ils racontent à Francesco leur échange avec la bande de Milo.

— Donc son alibi est confirmé ?

— Il semblerait.

Une jeune fille s'est volatilisée sans laisser de traces. Ils n'ont plus les vidéos des caméras qui auraient pu leur fournir des réponses et leur seul suspect a dorénavant un alibi confirmé par plusieurs sources.

— Ça veut dire qu'on abandonne la piste Milo Léman ?

Francesco soupire.

— Pour le moment…

Alexandra observe son fils avec inquiétude. Assis dans le canapé, il regarde une émission culinaire sans voir les images qui défilent devant lui. Depuis que les policiers ont débarqué chez eux pour leur signaler la disparition de Marion Nobel dix jours plus tôt, Milo n'est plus le même.

Totalement apathique, il ne sort plus de la maison. Elle a de la chance quand il quitte son lit dans la journée. Blême, le regard vide, il erre alors comme une âme en peine d'une pièce à l'autre.

Elle est terrifiée à l'idée de le voir sombrer ainsi, de l'imaginer responsable de ce qui a pu arriver à cette jeune fille, d'avoir menti pour lui, qu'un témoin se présente pour balayer l'alibi qu'elle a offert à Milo, que la police lui prenne son fils comme elle lui a pris son mari et son bonheur familial.

L'angoisse ne la quitte plus un seul instant depuis que les policiers leur ont rendu visite. Pour se rassurer, elle a bien tenté de lui parler, mais Milo est inaccessible, retranché si loin en lui-même qu'elle ne peut l'atteindre.

Face à son mutisme, son apathie et son insolence, Franck devient fou. Il ne supporte pas de vivre sous le même toit qu'un garçon que ses collègues suspectent d'avoir quelque chose à voir avec la disparition de cette jeune fille. Les tensions entre eux se multiplient. Pour changer…

— Je sais que je n'ai rien le droit de dire dès qu'il s'agit de ton fils, mais tu comptes faire quelque chose ? attaque Franck en entrant dans la cuisine et en pointant Milo du pouce.

Alexandra coupe les branches d'un chou-fleur avant de les poser dans le panier de sa cocotte-minute.

— J'ai l'impression qu'il aimait vraiment cette fille, lui explique-t-elle à voix basse. Je ne l'ai jamais vu dans cet état. Laisse-lui un peu de temps.

Il lâche un ricanement ironique.

— Ça fait dix-huit ans que tu lui laisses du temps… Je ne sais pas comment tu arrives à avoir encore foi en lui.

Alexandra sent les larmes lui monter aux yeux. Avoir foi en son fils ? Franck est-il bête au point de ne pas voir que c'est la crainte qui régit tous ses rapports avec Milo ? Il ne perçoit donc pas que ce qui la rend malade à cet instant, ce n'est pas l'instinct maternel de protection, mais la peur qu'il ait encore fait une connerie ? Comment peut-il être aveugle au point de ne pas comprendre que si elle évite soigneusement le sujet avec lui, c'est par peur de craquer et de lui donner raison sur toute la ligne ?

Alors juste parce qu'elle est sa mère, elle ferme les yeux, muselle ses craintes et retient les paroles qui ne demandent qu'à sortir.

— On peut parler d'autre chose ?

— Évidemment..., ironise-t-il.

— Arrête Franck ! S'il te plaît !

Il secoue la tête.

— Tu veux fermer les yeux, OK ! Mais il faut quand même que tu saches que tout accuse ton fils ! La seule chose qui le sauve pour le moment, c'est l'alibi que tu lui as servi sur un plateau ! lui assène-t-il.

— Qu'insinues-tu ? lui rétorque-t-elle avec froideur.

— Tes collègues me suspectent ?

Alexandra et Franck sursautent et se tournent vers Milo qui se tient dans l'encadrement de la porte de la cuisine.

— Dis-moi la vérité, Franck ! insiste-t-il avec une pointe d'angoisse dans la voix.

Alexandra lance un regard d'avertissement vers son compagnon.

— L'alibi que t'a fourni ta mère a été confirmé par tes potes, concède Franck. Ton nom a été sorti de la liste des suspects potentiels.

Alexandra respire mieux soudain, pourtant, elle ne peut oublier que si l'alibi de Milo a été confirmé par ses amis, cela signifie qu'il a dû les quitter vers dix heures. Pourtant, son fils est bien rentré à une heure du matin. Cela lui a laissé tout le temps nécessaire pour attirer cette fille hors de chez elle et lui faire Dieu sait quoi. Alexandra jette ces idées démoralisantes dans le puits d'acide qui accueille toutes les pensées semblables depuis que Milo lui en fait voir de toutes les couleurs.

Pour Milo, avoir un alibi constitue juste une étape. Il est tranquille côté police, mais cela n'explique pas ce qu'il a fait après avoir quitté ses potes. Il se redresse avec l'envie soudaine de prendre l'air. Il retourne dans le salon.

— Que fais-tu Milo ? demande Alexandra.

— Je sors retrouver mes potes.

Elle tente de le retenir.

— Tu as entendu ce qu'a dit Franck ? Tu as été suspecté ! Reste ici, c'est beaucoup plus prudent.

— Ça fait trop longtemps que je n'ai pas mis un pied dehors !

Elle attrape son tee-shirt.

— Milo ! Je t'en prie, reste !

Il pose sa main sur la sienne.

— J'ai besoin de voir du monde.

Il fait glisser les doigts d'Alexandra pour se dégager de sa prise et entre dans sa chambre pour se changer. Moins d'un quart d'heure plus tard, il claque la porte en sortant de la maison.

Milo entend une plaisanterie de Pedro et se met à ricaner bêtement, même s'il n'est pas sûr d'avoir compris la chute ni que l'histoire soit vraiment drôle, à vrai dire.

Un pétard dans une main et une bouteille de bière dans l'autre, il alterne les deux avec pour seul objectif de s'enfoncer toujours plus loin dans l'oubli. Comme ça fait environ trois heures qu'il espère régler ses problèmes de cette façon, il n'a plus vraiment les idées claires. Il flotte au-dessus de la réalité de sa vie merdique.

Mickaël lui file une claque dans le dos tout en s'esclaffant. Que ça fait du bien de retrouver ces mecs qui sont aussi paumés que lui !

Mickaël lui a expliqué que les flics les ont interrogés à propos de lui et de Marion, qu'ils ont cherché à tester son alibi et qu'à la fin ils sont repartis bredouilles.

Dans un état second, Milo ressent un élan d'amour pour ces cinq gars qui forment comme une famille pour lui, une famille dont il aurait choisi chaque membre, loin de sa stressée de mère qui frôle l'hystérie dès qu'il s'agit de ce que les autres peuvent penser de lui, des jugements intempestifs de Franck qui ne supporte pas la concurrence de Milo dans le cœur d'Alexandra et des trahisons de son enfoiré de père...

Il a rencontré Mickaël et Samir dans le second lycée où il a échoué pendant son bac pro électronique. Ils se sont tout de suite reconnus et regroupés. En moins de temps qu'il n'en faut pour le dire, ils avaient attiré tous les cas désespérés de l'école autour d'eux. Pedro, Ludo et Manu en faisaient partie.

Si certains membres de la bande d'origine ont retrouvé la raison avant qu'il ne soit trop tard, eux six sont restés soudés dans l'échec.

Parmi eux, il se fait l'effet d'être le plus sain et le plus chanceux ! Le père de Mickaël est violent. Son pote a bien tenté de pousser sa mère à le quitter, mais la riposte de son paternel l'a envoyé à l'hôpital avec trois côtes cassées. Depuis, il se contente de fuir le domicile familial le plus souvent possible. Samir a dû se débrouiller seul entre ses parents qui parlent à peine le français et ses sept frères et sœurs. Chez lui, il n'a jamais manqué d'amour, mais d'attention. Pour tenter d'exister, il a choisi l'excès. Sans succès jusqu'à présent. Pedro vit chez sa grand-mère depuis que sa mère l'a abandonné pour suivre son amant après le décès de son père. Depuis, il reçoit une lettre à Noël et une pour son anniversaire. Il adore la vieille dame, même si elle commence sérieusement à perdre la boule. Manu, quant à lui, est un gosse de riches complètement traumatisé par les agissements de sa mère, une vraie fêlée du bocal, alcoolique, dépressive et schizo à ses heures. Enfin, Ludo a quitté l'école parce qu'il souffrait de phobie scolaire, encore aujourd'hui, il est incapable de s'insérer dans la vraie vie.

L'histoire de Milo est presque banale à côté des leurs. Quoique avec la disparition de sa petite amie et le fait qu'il ait été suspecté, même brièvement, il reprend de l'avance côté misère.

À cette simple pensée, la réalité le rattrape d'un seul coup.

Il se demande encore ce qu'il a raté pour se faire jeter aussi rapidement. À croire que les filles qui couchent avec lui ne veulent qu'une seule chose de sa part. Cela ne l'avait jamais gêné avant d'éprouver des sentiments pour sa partenaire et de la voir agir comme les autres.

Tout s'est pourtant bien passé entre eux. Il ressent avec la même intensité le contact des lèvres de Marion sur les siennes, l'envie de la posséder, le frôlement de son corps contre son bassin, ses gémissements de plaisir émerveillés.

Il ne peut pas avoir inventé ses réactions enthousiastes !

Pourtant, quand elle lui a dit que ce qu'ils avaient vécu était sympa, il a eu l'impression qu'elle lui perçait le cœur avec un pic à glace. L'humiliation lui serre encore la gorge.

Les vapeurs dans lesquelles il baignait jusqu'à il y a quelques minutes se dissipent et la colère reprend ses droits. Il se lève pour s'éloigner d'une démarche chancelante. Les autres ne remarquent pas son départ.

Il laisse ses pensées dériver et guider ses pas. Quand il relève les yeux, il aperçoit le reflet d'une chevelure blonde sous l'éclat d'un réverbère. Marion ?

Il a envie de crier pour l'appeler, mais il a trop peur qu'elle prenne la fuite ou qu'elle disparaisse. Alors il accélère. Pourtant, plus il se rapproche d'elle plus il a l'impression qu'elle gagne du terrain.

Après un dernier effort, il la rattrape et pose sa main sur son épaule.

— Marion ! marmonne-t-il.

Il sent son frémissement lorsqu'il la serre contre lui.

— Où étais-tu ? Je me suis inquiété pour toi !

Il sent ses mouvements terrifiés pour échapper à son étreinte.

— Lâchez-moi !

— Marion, calme-toi. C'est moi !

— Laissez-moi, exige-t-elle en s'écartant violemment.

Milo avance, mais elle lève son genou qui vient s'écraser sur ses couilles. Il gémit tout en s'effondrant contre elle. Elle pousse un hurlement strident alors qu'il s'agrippe à elle à cause de la douleur qui lui donne envie de vomir.

Il entend des pas rapides et des cris avant que quelqu'un l'attrape par l'épaule.

— Lâche-la !

Il se retrouve projeté au sol. Il heurte violemment le bitume. Il tente de se débattre, mais le poids qui pèse sur son dos le contraint à l'immobilisme.

— Marion ! rugit-il.

Il entend encore des pleurs et des menaces résonner de toutes parts autour de lui avant qu'un coup de poing l'envoie dans le néant.

Quand il se réveille, il a mal partout. Il gémit avec l'impression qu'on vient de lui passer l'entre-jambe au mixer. Il observe ce qui l'entoure et finit par reconnaître le cadre grandiose de la cellule de dégrisement du commissariat de Lomigny-sur-Antelle. De mieux en mieux, Milo !

La porte grince sur ses gonds. Milo n'a pas besoin d'ouvrir les yeux pour savoir que Franck vient d'entrer. Son aura chargée de désapprobation le devance.

Milo se redresse et s'assoit sur sa couchette en prenant appui contre le mur. Il dévisage son beau-père sans rien dire.

— Je ne sais pas si tu te rends compte de ce que tu as fait.

Milo se tait, car Franck n'est pas du genre à garder ce qu'il a sur le cœur.

— À quoi tu as pensé, bon sang ? Agresser une fille dans la rue !

— Pardon ?

— Tu me dégoûtes, Milo ! s'emporte Franck sans remarquer l'air abasourdi de Milo. Avec tout ce que ta mère fait pour toi ! Il faut encore que…

Milo secoue la tête.

— Attends une seconde, j'ai agressé personne !

— Va expliquer ça à la fille que tu as suivie et tenté de déshabiller !

Milo essaie de rassembler ses idées pendant que Franck poursuit son argumentaire.

— J'comprends pas..., finit-il par lâcher.

Il essaie de se souvenir, mais la seule image qui lui revient, c'est une magnifique chevelure blonde.

— J'ai vu Marion dans la rue et j'ai voulu aller lui parler.

— Marion Nobel ? Tu délires ou quoi ? Elle est toujours portée disparue.

Milo referme la bouche.

— Alors, qui...

— Une parfaite inconnue à qui tu as filé la trouille de sa vie !

Franck respire pour tenter de retrouver son calme.

— Milo, il faut que tu comprennes la gravité de ce que tu viens de faire. Tu as été suspecté dans le cadre de la disparition de Marion Nobel et seul le témoignage de ta mère t'a sauvé d'une mise en examen. Là, tu viens d'agresser une fille blonde, comme elle. Même mon collègue le plus débile ne pourra que faire le rapprochement !

Milo déglutit.

— Je te jure que je n'ai pas agressé cette fille. Je l'ai prise pour Marion. Je voulais juste lui parler, mais elle m'a frappé.

— Arrête tes conneries, Milo ! Ses vêtements sont en lambeaux. Il a fallu trois mecs pour te maîtriser. Que se serait-il passé si ces gars n'étaient pas intervenus ? Tu l'aurais violée, elle aussi ?

Milo se redresse.

— Je n'ai pas violé Marion ! tonne-t-il.

Franck lui lance un regard de pur dégoût.

— Tu es pitoyable !

— Pourquoi tu ne veux pas me croire ? Marion a couché avec moi de son plein gré !

Devant l'air buté de Franck, Milo se rassoit avec un ricanement de dépit.

— Ça t'arrange tout ça, non ? Tu vas pouvoir récupérer ma mère pour toi tout seul une fois que tu m'auras envoyé en taule ! crache-t-il.

— N'inverse pas les rôles, Milo. Toi, tu as passé ton temps à lui briser le cœur, comme ton enfoiré de père. Moi, je passe le mien à essayer de lui faire oublier vos frasques. Et ce qui t'arrive en ce moment, tu ne le dois qu'à toi.

Milo aimerait pouvoir lui dire qu'il a tort, mais c'est impossible. Il ferme les yeux.

— Ça sert à rien que j'essaie de parler avec toi, tu as déjà décidé que je suis coupable. Alors sors d'ici.

Franck lui jette un dernier regard méprisant avant de le laisser seul. Il rejoint ses collègues, qui semblent dépités.

— Que se passe-t-il ?

Paul Hirson soupire en passant sa main dans ses cheveux courts.

— Juliette Coutriers se rétracte. Elle dit qu'elle s'en est bien sortie et que si ses parents apprennent qu'elle n'était pas chez elle à cette heure-là, elle n'aura plus jamais le droit de traîner dehors. Elle préfère ne rien faire…

— Elle retire sa plainte ?

— Elle a changé d'avis avant même d'en arriver là. Elle affirme que tout va bien et qu'il ne lui a pas fait de mal. Elle confirme par ailleurs qu'il l'a prise pour quelqu'un d'autre.

— Et avec le rapport de l'arrestation de Milo et les témoins qui l'ont immobilisé, on peut voir avec la proc', non ? propose Franck. On n'a même pas besoin de la plainte.

— J'ai déjà appelé Dubreuil pour lui demander d'ouvrir une information judiciaire, mais elle a estimé qu'entre l'alcoolémie de Milo et le fait qu'il a bien pris Juliette Coutriers pour quelqu'un d'autre, c'était peine perdue.

— Malgré la disparition de la petite Nobel ?

— Pour laquelle ta nana lui a fourni un alibi, je te rappelle…

— Et merde ! s'énerve Franck en shootant dans la poubelle de bureau qui traînait là.

Paul lui lance un regard surpris.

— T'es pas satisfait que ton beau-fils s'en sorte sans poursuites ?

Franck grince des dents. Si Alexandra apprend qu'il œuvre pour faire inculper Milo, elle le jettera dehors.

Paul aussi a l'air déstabilisé par son obstination. Franck doit reconnaître que son objectivité envers ce gosse est proche du zéro absolu. Il le hait parce qu'il incarne tout ce qui ne marche pas dans son ménage, tout ce qui fait qu'Alexandra ne lui accorde qu'une demi-vie de couple. À cause de Milo, il a l'impression d'être toujours sur la sellette et le numéro deux dans sa vie. C'est tellement minable et mesquin qu'il se sent obligé de trouver une explication pour justifier son comportement auprès de son collègue.

— Ce petit con ne sort pas de prison parce qu'il est innocent, mais parce que le témoin se rétracte ! Comment veux-tu que ça me rende heureux ?

Franck se gare devant la maison. Il tourne la tête vers Milo.

— Je retourne bosser. Vous avez sans doute beaucoup de choses à vous dire, ta mère et toi.

Milo a surtout envie de prendre des cachets contre le mal de tête, de se doucher et d'aller au lit pour oublier sa gueule de bois et ses couilles en charpie. Éviter les conflits se situe aussi en tête de liste de ses priorités.

— Merci, lâche-t-il du bout des lèvres.

Franck pose sa main sur son épaule pour le retenir quelques secondes de plus.

— Je sais que tu penses que je suis ton ennemi, mais c'est faux, Milo. Je veux que ta mère soit heureuse et ça dépend pour beaucoup de toi. On n'est pas obligés de s'aimer, mais on peut arriver à cohabiter.

— Hum…

Milo sort le plus rapidement possible de la voiture pour fuir Franck, qui tente de lui jouer du violon.

— Laisse-moi t'aider, Milo. Attends…

— À demain, Franck.

Franck soupire comme s'il était vraiment déçu par ce rejet. Son hypocrisie débecte Milo. La seule chose qui compte pour lui, c'est de garder Alexandra. Dans le meilleur des cas, Milo ne représente qu'un obstacle en travers de sa route. Et les accusations qu'il lui a lancées dans la cellule ne laissent aucune place au doute quant à la façon dont il aimerait se débarrasser de lui. S'il croit que son discours mélodramatique va lui faire oublier ce dont il le pense capable, Franck se trompe lourdement.

La voiture démarre. Dès qu'elle est hors de vue, Milo lâche un gémissement de douleur. Son corps lui envoie des signaux d'alerte de toutes parts. Il se traîne jusqu'à la maison.

Dès qu'elle entend la porte, Alexandra se précipite hors du canapé.

— Milo !

Elle prend son visage entre ses mains pour l'observer à la lumière. Les gars qui l'ont maîtrisé n'y ont pas été de main morte. Son menton et sa pommette sont marbrés d'hématomes. Sa joue est éraflée par le contact avec le bitume.

Elle le serre contre elle.

— Maman, lâche-moi !

Il la repousse. Soudain, elle semble se souvenir de ce dont on l'accuse. Elle recule et lui colle une gifle retentissante. Milo ne bronche pas malgré la violence du coup.

— Qu'est-ce que tu as encore fait ? hurle-t-elle.

Il porte sa main à sa joue.

— C'est un énorme malentendu.

— Un… malentendu ?

Milo va s'asseoir sur le canapé avant que ses genoux lâchent.

— J'ai vu les cheveux blonds de cette fille. De loin, j'ai cru que c'était Marion. Je voulais lui parler.

— Lui parler ? Franck a dit que ses vêtements étaient déchirés, que tu as cherché à la violer…

— Putain ! C'est n'importe quoi ! s'énerve Milo.

Il passe sa main dans ses cheveux pour se calmer avant de reprendre la parole.

— Tu te souviens quand j'étais petit, tout le monde m'accusait tout le temps. Tu as fini par comprendre que je n'étais pas toujours coupable.

Elle retient son souffle avant de hocher la tête.

— Cette fois, c'est pareil. Je n'ai pas cherché à agresser cette fille. J'étais saoul et je l'ai prise pour quelqu'un d'autre. Elle m'a frappé et je me suis agrippé à elle pour ne pas tomber. C'est sans doute à ce moment-là que j'ai déchiré ses fringues.

Alexandra renifle et essuie ses joues d'un geste sec. Son visage se ferme comme si ces mots représentaient la goutte de trop pour elle, la limite de ce qu'une mère peut encaisser avant que son amour commence à se fissurer.

— Tu me crois, m'man ? J'ai besoin que tu me croies quand je te dis que je n'ai pas cherché à faire du mal à cette fille.

Il tend la main vers elle.

— M'man… je t'en prie…

Elle repousse sa main tendue.

— Je n'aurai pas la force de supporter ça une seconde fois, Milo. Les mensonges, les humiliations, la police qui se mêle de nos vies, un autre voyou dans la famille, tout ça je pouvais encore le gérer. Mais ce que tu as fait ce soir… tu me dégoûtes !

— Puisque je te dis que je n'ai rien fait à cette fille ! s'emporte-t-il.

Elle se redresse pour lui hurler sa question au visage.

— Et à Marion ? Hein ? Tu lui as fait quoi à elle ?

Milo se mure dans le silence. Alexandra gémit.

— Il faut que je sache, Milo ! Dis-moi ! Est-ce que j'ai protégé un tueur quand j'ai menti pour te fournir un alibi ?

Il sursaute en captant la portée de ses mots. Un tueur !

— M'man…, gémit-il avec détresse.

— Tu es rentré à une heure du matin, Milo. C'est-à-dire trois heures après avoir quitté ta bande de copains. Trois heures ! Ça te laissait tout le temps de hurler en bas de chez elle pour la faire sortir et de lui faire des choses horribles…

Elle attend de voir sa réaction. Abasourdi, il semble réfléchir à ce dont elle vient de l'accuser. Il secoue la tête.

— Où étais-tu ? insiste-t-elle.

Si seulement, il le savait…

— Je ne me souviens pas, avoue-t-il à regret.

Alexandra manque de s'étrangler.

— Tu ne te souviens pas ? Mais il s'agit de trois heures de ton temps !

Il hausse les épaules.

— J'étais totalement bourré. Je ne me rappelle rien.

Alexandra émet un son étouffé avant de se mettre à pleurer de désespoir.

— Oh, mon Dieu !

— Pourquoi tu imagines toujours le pire ?

Elle lui lance un regard perçant.

— Parce que croire en toi est devenu de plus en plus difficile…

Il se lève en grimaçant.

— Si tu ne crois plus en moi, tu n'avais qu'à dire la vérité aux policiers !

— Et te perdre, toi aussi ?

Ils restent silencieux quelques secondes.

— Je me sens tellement impuissante, Milo. Depuis que tu es petit, je me bats pour te maintenir à flot et effacer tes erreurs. Mais cette fois, c'est grave ! Dis-moi la vérité. Qu'as-tu fait à Marion ?

— Je ne sais pas ! hurle-t-il.

Il lui tourne le dos et fonce s'enfermer dans sa chambre.

— Tu penses aller où comme ça ?

La main posée sur la poignée de la porte, Milo suspend son geste. Comme un gamin pris en faute, il se tourne vers sa mère.

— C'est l'anniversaire de Pedro aujourd'hui. J'ai promis de rejoindre mes potes au bar.

Les bras croisés, Alexandra secoue la tête.

— Au bar ? Tu te moques de moi, j'espère ?

Milo lève les yeux au ciel.

— J'ai respecté notre accord. J'ai un boulot et je me suis tenu tranquille ces derniers temps.

Alexandra doit reconnaître que son ultimatum a porté ses fruits. Il perçoit son hésitation et insiste.

— Je sais que tu veux me protéger, mais tu ne peux pas m'interdire de voir des gens de mon âge !

— Si ! Parce qu'à chaque fois que tu es avec eux, tu fais des conneries !

Décidé à faire entendre son point de vue, il s'emporte.

— Je ne te demande pas la permission d'aller les voir ! J'y vais, c'est tout !

Alexandra essaie encore de le retenir.

— Milo ! Sois raisonnable ! Depuis trois mois, tu as réussi à te faire oublier. Ne gâche pas tout !

— Je ne gâche rien, j'améliore.

Elle pose sa main sur son bras.

— Je te rappelle que les deux dernières fois que tu as traîné avec eux, tu as été suspecté dans le cadre de la disparition de Marion puis accusé d'agression !

Il ferme les yeux à ce douloureux rappel.

— Je sais, c'est pourquoi j'ai prévu de ne pas boire. Je veux juste être avec mes potes.

Le portable de Milo vibre dans sa poche.

— C'est eux. Ils m'attendent, dit-il en montrant son écran.

Alexandra sait qu'elle ne peut pas l'empêcher de vivre, même si c'est dans l'objectif louable de le protéger de lui-même. Il doit apprendre à fixer ses propres limites et à les respecter pour devenir un adulte digne de ce nom. Elle ne peut que le guider sur la voie, certainement pas se substituer à lui.

— Ne rentre pas trop tard, capitule-t-elle avec un nœud au ventre.

— C'est promis.

Il lui lance un sourire reconnaissant avant de se pencher vers elle pour déposer un baiser sur sa joue. Surpris tous les deux par son geste spontané de tendresse, ils se dévisagent en silence. Elle le pousse gentiment.

— Allez, file !

Alexandra l'observe alors qu'il sort de la maison et marche sur le trottoir. Dès qu'elle le perd de vue, l'angoisse l'envahit. Comme une vague géante, elle la sent progresser de son ventre vers son cœur et sa tête pour grignoter ses pensées cohérentes, puis refluer de quelques pas pour mieux assurer sa prise et s'enfoncer encore plus profondément dans sa raison.

Au fil des ans, Alexandra a appris quelques techniques de relaxation pour apaiser le ressac de ses pensées. Elle inspire et tente d'évacuer son stress en expirant.

Peine perdue, la crise d'angoisse est bien là et elle a planté ses crocs dans ses nerfs. Son estomac se cabre. Son cœur s'emballe.

Elle cache son visage dans ses mains. Elle a été si forte à une époque, mais à présent, elle est faible face à ses peurs qu'elle ne sait plus tenir à distance ni repousser en périphérie de ses pensées.

Il ne s'agit que d'une malheureuse soirée. Quatre heures à tuer, tout au plus.

À pied, Milo parcourt la distance qui le sépare de la gare. Dès qu'il entre dans le Chiquito, le seul bar un tant soit peu festif de Lomigny-sur-Antelle, Pedro vient à sa rencontre.

— Génial ! Tu as pu venir !

Il l'entraîne vers Mickaël, Manu, Ludo et Samir. Autour de la table, il y a aussi plusieurs filles.

— Je te présente Mylène, Caro, Stéph et Hoda.

Milo les salue avant de s'asseoir avec eux. La discussion, détendue et simple, s'engage. Rapidement, Mylène, qui était assise près de Manu, vient rejoindre Milo.

— Salut. Je ne sais pas si tu te souviens de moi. J'étais dans la même classe que toi en seconde.

Il l'écoute poliment pendant qu'elle lui rappelle quelques anecdotes, pas forcément très glorieuses pour lui. Si ses souvenirs sont bons, elle était alors boulotte, boutonneuse, renfermée et timide. Elle a maigri, c'est certain. Pourtant sa coupe, un carré plongeant sophistiqué, et son maquillage étalé à la truelle ne parviennent pas à faire oublier son visage ingrat.

— Je vais chercher à boire. Tu veux quelque chose ?

Il se lève sans attendre sa réponse. Il pose un coude sur le bar et attend de passer sa commande quand quelqu'un se poste près de lui.

— Alors, ma gueule, qu'est-ce que tu deviens ? Ça fait un bail…

— J'ai un taf maintenant.

Manu hoche la tête.

— J'ai entendu ça. Qui aurait pu imaginer que tu te rangerais le premier ?

Milo sourit.

— Me ranger ? Disons plutôt que je n'ai pas trop eu le choix avec ma mère. Tu vois ?

Manu a une mère cinglée, il comprend forcément ce genre d'argument.

— Non, pas trop. Je pensais que nous tous, ça serait pour la vie.

— Quoi ? Zoner, fumer, picoler ? Où tu veux que ça nous mène ? se moque gentiment Milo.

— Ça te dérangeait pas avant…

— Je sais, mais j'ai pas mal déconné ces derniers temps. J'ai eu très chaud aux fesses.

— Avec tes problèmes avec les filles ?

— Exact, confirme Milo en goûtant sa bière.

Manu regarde en direction de Mylène. Il lâche presque à contrecœur la vraie raison de cette discussion.

— À propos de filles, je l'aime bien celle-là.

Milo a du mal à suivre ce changement de sujet.

— Quelle fille ?

— Elle.

Milo suit son regard.

— Mylène ? manque-t-il de s'étouffer. Pourquoi tu me dis ça ?

Manu lui adresse une moue dépitée. Milo finit par capter.

— Quoi ? Tu n'as pas cru que…

Manu lui lance un regard qui le supplie de ne pas lui raconter d'histoires. Milo lève les mains.

— Tu peux y aller avec ma bénédiction ! Elle ne m'intéresse pas.

Comme un fait exprès, Mylène tourne la tête vers Milo et son regard tente d'accrocher le sien.

— Ouais, mais maintenant qu'elle t'a vu, c'est mort pour moi ! lâche Manu d'un ton morne.

— Mais non ! tempère Milo. On était en classe ensemble. C'est de ça qu'elle voulait me parler. Tente ta chance.

Mickaël arrive à cet instant et se mêle à leur conversation. Alors qu'ils discutent depuis quelques minutes, un groupe composé de quatre garçons et cinq filles fait irruption dans le bar et s'installe à une table voisine. Le volume des conversations augmente pour couvrir la musique, les rires fusent.

Milo est ravi de revoir ses potes et de se retrouver dans son élément. En même temps, il a l'impression que ces mois passés loin d'eux à bosser et à tenter de s'insérer dans la vraie vie l'ont déjà transformé. Boire pour finir déchiré, un must pour lui jusqu'à il y a peu, lui paraît soudain stupide et vide de sens. Il a un petit mouvement de recul horrifié quand il se rend compte que le travail de sape de sa mère a fini par payer. Il heurte quelqu'un derrière lui.

— Hey ! Tu peux pas faire attention !

— Désolé.

La fille qui le dévisage avec sévérité est ravissante. Blondinette, frisée, regard de biche, corps souple et élancé, il la détaille avec intérêt.

— Plutôt que de me regarder comme un idiot, tu pourrais aller me chercher une serviette !

Il se rend alors compte qu'en la heurtant il lui a fait renverser son verre dont une partie a atterri sur ses vêtements.

— Je m'en occupe !

Elle le rattrape par la manche.

— Non, laisse tomber. Paye-moi plutôt une bière.

Il sourit.

— OK.

Pendant qu'elle sirote son verre, ils papotent de tout et de rien. Quand il rejoint ses amis, elle s'incruste avec eux. Il n'y a pas assez de chaises. Avec une spontanéité désarmante, elle s'assoit sur ses genoux. Il passe un bras autour de sa taille. Elle se colle contre lui. Il s'approche de son oreille.

— Que va dire ton copain ?

D'un geste du menton, il indique le type avec qui elle parlait quand il l'a bousculée.

— Ce n'est pas mon copain, lui lance-t-elle avec un clin d'œil aguicheur.

Les signaux qu'elle envoie sont sans ambiguïté. Il se penche donc vers elle pour l'embrasser. Les bras passés derrière sa nuque, elle lui rend son baiser.

Pendant la soirée, il lui offre plusieurs fois à boire. Arrive l'heure où elle lui annonce qu'elle veut partir.

— Je te raccompagne, propose-t-il.

Elle se lève. Milo salue ses potes en l'imitant.

— J'y vais. À la prochaine.

— Je pars aussi, déclare Manu.

Sa mine sombre est éloquente. Il est resté en retrait une bonne partie de la soirée et n'a participé à leurs échanges que du bout des lèvres. Milo espère qu'il ne fait pas la gueule à cause de Mylène, qui a ignoré toutes ses vaines tentatives pour attirer son attention.

— Déjà ? Vous voulez pas encore boire un verre avec moi ? C'est mon anniversaire, les copains !

Pedro tangue sévèrement en essayant de se redresser. Il a déjà un sérieux coup dans le nez. Milo rit.

— J'ai mieux à faire, lui indique-t-il avec un coup d'œil explicite vers sa conquête.

— J'vois ça !

Il salue tout le monde, remarquant à peine la moue désapprobatrice de Mylène. Puis il sort du bar. Dans la rue, la fille avance vite et sans lui prêter attention. Un peu dépité par son attitude, il allume une cigarette. Il reste en retrait de quelques centaines de mètres jusqu'à une série d'immeubles de cinq étages, bordée par des arcades qui abritent des boutiques. Soudain, elle s'arrête et lui fait face.

— Je ne sais pas trop comment te l'annoncer… alors je vais être directe.

Milo a la fugitive sensation que la suite ne va pas lui plaire.

— T'es un mec sympa et canon, mais j'ai aucune intention de coucher avec toi et encore moins de te revoir.

— Ah…, déclare-t-il avec défaitisme.

— Je suis sorti avec toi pour que tu me payes à boire, avoue-t-elle avec un culot déconcertant. Je t'aime bien, alors c'est pour ça que j'ai accepté que tu me raccompagnes. Je voulais t'expliquer pourquoi t'as perdu ton temps.

— De quoi tu parles ?

— Ben… en soirée, je me trouve toujours un pigeon pour picoler gratis.

Il secoue la tête. Alors tout était calculé ? Et leurs baisers ? Du foutage de gueule ? La colère le gagne. D'une pichenette, il envoie sa cigarette un peu plus loin.

— Un pigeon ? Tu veux dire que tu joues les putes juste pour de l'alcool ?

— Hey ! N'exagère pas !

Face à son visage renfrogné, elle finit par hausser les épaules.

— Enfin, un peu… T'as pas tort.

Elle prend une inspiration.

— T'as vraiment été cool avec moi. Si tu veux, on peut baiser quand même.

Il lui lance un regard écœuré.

— Tu te fous de moi ? Jamais je paierai pour me taper une nana !

— Le prends pas sur ce ton-là ! Connard !

Là-dessus, elle lui tourne le dos alors que la colère de Milo bouillonne dans ses veines. Il tend la main et attrape son bras pour la ramener face à lui.

Chaque jour, Édith Morin sort très tôt pour aller acheter son pain. Et ce dimanche n'échappe pas à la règle. La plupart du temps, elle attend la levée du rideau métallique devant la porte de la boutique à sept heures. Le boulanger a appris à reconnaître cette première cliente acariâtre qu'il salue pourtant avec entrain.

Édith n'aime pas les gens ni le bruit qu'ils font. Toutes ces bouches qui s'agitent pour faire du vent et ne rien dire d'intéressant au final, ça lui file mal au crâne.

Après avoir récupéré la laisse, elle appelle son chien pour qu'il saute sur ses genoux.

— Croco !

Un york bicolore, court sur pattes, arrive en courant et en sautillant de bonheur à l'idée de la promenade à venir. Il geint et aboie en cadence avec le balancier de sa courte queue.

— Saute, Croco !

Le cabot s'exécute, mais il continue à gesticuler.

— Arrête de bouger, je n'arrive pas à mettre ta laisse.

Croco s'immobilise un instant. Édith n'a plus d'aussi bons yeux ni les mains sûres. L'arthrose a progressivement déformé ses doigts dont les phalanges forment des angles improbables.

— Voilà !

Elle réussit à attacher le harnais et à passer le mousqueton métallique dans l'anneau au prix d'un effort de concentration considérable.

— On y va.

Édith referme soigneusement la porte de son immeuble. Elle a déjà vu des jeunes qui n'ont rien à faire là se faufiler en douce dans la cage d'escalier. Elle a horreur de les savoir là. Ils lui font peur, elle doit bien l'admettre.

Elle ne comprend pas ce qui les anime. De son temps, on faisait en sorte d'acquérir des compétences pour avoir un bon métier et on vivait sa vie sans faire de vagues. Le but des parents, c'était de faire en sorte de pousser leurs enfants une marche au-dessus de la leur, pour que chaque génération soit mieux lotie que la précédente.

Aujourd'hui, on dirait que ces règles-là n'ont plus cours. Cette jeunesse lui fait l'effet d'être perdue et sans repères. Ces gosses traînent dans la rue, ils ne savent pas quoi faire de leur peau, n'ont pas d'avenir. Ils ont des envies qui la dépassent, des envies créées de toutes pièces par la publicité.

C'est vrai, quoi ! Quand on n'a pas de travail, ni d'argent, à quoi ça rime de vouloir un téléphone mobile hors de prix, des vêtements de marque, des lunettes dernier cri ? Et pourtant, quand elle les croise dans la rue, elle voit bien les joujoux dont ils sont couverts…

Elle soupire.

— Allez, Croco…

Elle avance de son pas rendu bancal par l'âge et les douleurs. Profitant de l'enrouleur de sa laisse, le chien sautille d'un arbre à un réverbère puis à une gouttière. Il renifle consciencieusement la moindre tache de pisse à sa portée avant de lever la patte pour montrer qui est le boss. La truffe au vent, il se laisse distancer avant de trottiner pour revenir au niveau de sa maîtresse.

Elle avance avec lenteur et application. La boulangerie, c'est le seul trajet quotidien qu'elle peut s'offrir dorénavant. Six cents mètres aller, six cents mètres retour. Les jours sans, il lui faut la matinée pour se remettre de l'effort fourni. Sa fille et son aide-ménagère s'occupent de tout le reste à présent. Elle tourne à droite et s'appuie contre l'angle d'un immeuble afin de reprendre son souffle. La boulangerie est encore à quatre cents mètres si elle coupe par le parking de la résidence des Arbrisseaux. La bonne blague… La bordure où sont censés pousser ces fameux arbrisseaux a été piétinée et réduite à néant depuis très longtemps par la faune locale.

Soudain, Croco se met à aboyer et à tirer sur sa laisse. Elle lève les yeux et grogne en apercevant quelqu'un allongé sous les arcades. Juste sur sa trajectoire. Elle va être obligée de faire un détour alors que sa hanche lui fait déjà un mal de chien.

Elle rappelle Croco et bloque l'enrouleur avant de reprendre son chemin. Quand elle passe près du corps, elle lui jette un coup d'œil agacé.

Elle remarque de jolis cheveux blonds tout emmêlés. Une flaque de liquide sombre entoure sa tête. Édith fronce les sourcils. Il n'y a pas quelque chose d'étrange dans ce visage partiellement caché ? Elle se penche en avant. Le chien gémit et tire sur sa laisse pour s'éloigner. Brutalement, Édith comprend ce qui cloche. Elle recule sous l'effet de l'horreur sans remarquer le rebord du trottoir. Elle pousse un hurlement glaçant quand son pied ne rencontre que le vide. Elle se tord la cheville dans le caniveau et s'effondre sur la chaussée. Son corps produit un crac sonore lorsqu'il heurte le macadam.

Elle entend Croco aboyer comme un fou en lui tournant autour avant de perdre connaissance.

— Qu'est-ce que j'ai manqué ?

Paul hausse les épaules.

— En faisant sa promenade matinale, une vieille dame est tombée sur ce cadavre.

— La pauvre, ça a dû lui faire un choc ! s'amuse Jean.

Francesco arrive et se mêle à leur discussion.

— Tu ne crois pas si bien dire… Les infirmiers pensent qu'elle s'est cassé le col du fémur en heurtant le bitume. L'ambulance vient de partir et la fourrière a récupéré son chien. C'est lui qui a alerté les voisins en aboyant. Sacré réveil pour un dimanche matin…

Jean se rembrunit.

— Désolé…

— C'est bon.

Francesco leur adresse un signe de la main avant de se rapprocher du ruban de sécurité et de l'homme qui supervise les opérations. Renaud Madiran est le responsable de l'unité de la police scientifique qui opère sur place. Il est en pleine discussion avec Hélène Dubreuil, la procureure.

Francesco la salue avant de se tourner vers Madiran.

— Votre équipe a fini ?

— Oui.

— Quelles sont vos premières conclusions ?

— On ne l'a pas encore bougée, mais elle a été tuée sur place vu la quantité de sang sous elle et les projections autour du corps. Nous avons relevé tous les indices possibles sur la scène de crime, donc on peut procéder à la levée du corps, si vous êtes d'accord.

— Allez-y.

Une housse noire est placée sur le sol et deux hommes attrapent le cadavre pour le glisser à l'intérieur. Lorsque les cheveux de la morte s'écartent, les policiers remarquent que son visage a partiellement disparu.

— Quelle horreur ! s'exclame Dubreuil.

Renaud Madiran se penche au-dessus du corps.

— On dirait que son assassin lui a fracassé le visage avec un objet doté d'arêtes tranchantes, mais le légiste vous en dira plus à l'autopsie.

Un des deux hommes chargés du corps récupère le sac à main qui est encore accroché aux doigts raidis de la morte. Il le tend à Francesco.

— Merci.

Équipé de gants, le policier entreprend de le fouiller. Il sort un portefeuille en cuir mauve décoré de fleurs blanches. Il l'ouvre pour vérifier si la jeune femme a pu être victime d'un voleur. Il trouve trois billets de dix euros, sa carte bleue et un chèque vierge.

— Elle n'a pas été tuée pour son fric.

Il tourne un rabat et se retrouve face à la photo de deux jeunes filles souriantes et à une carte d'identité.

— Elle s'appelait Aurélie Janin, elle avait dix-sept ans.

— Pauvre gosse, soupire Paul.

Il tend un sachet en plastique dans lequel son supérieur glisse le portefeuille.

Jean lève les yeux et observe les réverbères au-dessus d'eux.

— Je vais me renseigner pour voir si les caméras du coin ont filmé quelque chose d'intéressant.

Alors qu'il assiste à la fermeture de la housse mortuaire, Francesco ne peut s'empêcher de remarquer les cheveux blonds de la victime et de penser à Marion Nobel.

— On l'emmène à l'hôpital sud-francilien de Corbeil-Essonnes pour l'autopsie, leur confirme Madiran. Vous voulez y assister, je suppose.

— Bien sûr.

— Et ça serait sympa de nous fournir le rapport pour hier, juste histoire de prendre un peu d'avance sur les médias qui ne vont pas manquer de nous tomber dessus.

Après avoir balancé sa vanne, la procureure s'éloigne pour passer un coup de fil.

— C'est encore loin ?

Les yeux rivés sur l'écran de son portable, Paul secoue la tête.

— Prends à droite au bout de la rue. Waze dit qu'on est encore à sept minutes du passage à niveau situé au croisement du sentier de l'Antelle et de la rue Rémy-Berteau.

Un silence tendu emplit l'habitacle de la voiture pendant que Francesco conduit.

— Vous croyez que c'est vraiment l'anorak que portait Marion Nobel quand elle a disparu ? finit par demander Jean avec anxiété.

— Un anorak couleur bronze, retrouvé à quelques centaines de mètres de chez Milo Léman ? Tu veux quoi de plus comme certitude ? assène son chef.

Paul entre quelques données sur son téléphone portable.

— On se trouve à environ trois kilomètres et demi de chez Marion. Ça représente trente-cinq minutes de marche. Un peu long comme trajet à pied et en pleine nuit pour un mec bourré avec une fille assommée sur l'épaule…, ironise-t-il. Car je vous rappelle que Milo

Léman n'a pas de voiture et qu'on part du principe qu'elle ne l'a pas suivi de son plein gré.

Francesco balaie l'objection d'un geste.

— Putain ! T'es dans quel camp ?

Paul lève les mains en signe de reddition.

— Se focaliser ainsi sur Milo Léman est une erreur. Il faut élargir notre point de vue. Trouver d'éventuels complices, contrer son alibi… je ne sais pas moi…

Francesco sait au fond de lui que Paul a raison. Pourtant, la certitude que ce gars est responsable de ce qui est arrivé à Marion Nobel est déjà trop profondément ancrée en lui.

Ils ne pourront jamais récupérer les images de vidéosurveillance de cette soirée, lesquelles auraient pu leur épargner beaucoup de travail et, au final, de frustration. Sans elles, ils en sont réduits à la bonne vieille méthode. Malheureusement, les enquêtes de voisinage n'ont absolument rien donné. Personne n'a sorti le nez de chez lui pour regarder d'où provenaient les cris dans la rue cette nuit-là. Personne n'a donc pu identifier Milo Léman sur les lieux de la disparition. Ils sont au point mort.

— Tu sais comme moi ce que vaut, en règle générale, le témoignage d'une mère…, avance Francesco.

Paul a l'impression que quoi qu'il dise le sort de Milo est déjà scellé. Si leurs certitudes l'ennuient ce n'est pas parce qu'il pense le gosse innocent, mais parce que ses collègues raisonnent de façon trop restreinte. Il insiste donc.

— Alexandra Léman n'a pas changé une seule ligne de sa déposition malgré notre insistance. Les potes de Milo ont confirmé sa version. Et de toute façon, personne n'a vu le jeune Léman traîner en ville à l'heure où sa mère a dit qu'il se trouvait dans son lit. Si vous pensez vraiment que c'est lui le coupable, il va falloir trouver d'autres moyens de le prouver.

Francesco lâche un cri de frustration et tape sur le volant. Assis sur la banquette arrière, Jean se rapproche d'eux.

— Comme tu me l'as demandé, j'ai surveillé le gosse de loin, mais il semble s'être racheté une conduite. Il ne traîne plus trop avec sa bande depuis que sa mère lui a dégoté un job au Carrefour Market de Vérigny-sur-Antelle. Il travaille au drive, il a des horaires réguliers et il a l'air d'assurer.

— J'ai discuté avec Franck. Il semble que sa nana a posé un ultimatum à Milo après l'histoire de l'agression, confirme Paul.

Il regarde encore une fois son portable.

— Après la gare de Grand-Bourg, tourne immédiatement à droite et ensuite c'est tout droit.

Près d'un second passage à niveau, ils se joignent au désordre ambiant, provoqué par une dizaine de voitures de police stationnées pêle-mêle, en garant leur véhicule à cheval sur le trottoir. Un homme en uniforme vient à leur rencontre dès qu'il les voit.

— Bonjour, je suis le lieutenant Frémont. C'est moi qui vous ai prévenus.

— Bonjour, lieutenant Meduro, répond-il en lui tendant sa main. Et voici mon équipe, Paul Hirson et Jean Flamand.

Frémont les salue également.

— Suivez-moi.

Tout en les guidant vers la promenade de l'Antelle, il leur rappelle les faits.

— Le chien d'un promeneur a découvert l'anorak coincé dans les branchages. Le gars a fait partie des volontaires qui ont participé à la battue, alors il nous a immédiatement contactés parce que la description du vêtement que portait Marion Nobel le jour de sa disparition correspondait à celui qu'il a trouvé.

— Vous avez fait fouiller le secteur ?

— C'est en cours.

— La brigade canine est arrivée ?

— Il y a quelques minutes. Ils viennent de commencer à ratisser la zone.

Le sentier qu'ils suivent s'éloigne de la voie ferrée pour rejoindre les bords de l'Antelle.

— C'est paumé comme coin, constate Francesco.

— Oui et non. Normalement le week-end, le chemin est blindé de joggers, de promeneurs et de cyclistes. Là, on a bloqué l'accès. En semaine et la nuit, par contre, vous avez raison, il n'y a pas un chat.

— Les premières maisons sont à combien ?

— Cent mètres pour les plus proches, mais elles sont toutes de l'autre côté de la voie ferrée et derrière un rideau d'arbres. On a déjà envoyé des hommes pour l'enquête de voisinage, mais des mois après les faits, j'ai peur qu'on n'obtienne rien de concret.

— Et la maison au passage à niveau ?

— En arrivant de votre commissariat, vous avez dû passer devant l'usine Caréna, commence-t-il.

Paul approuve. Ils ont à peine eu le temps de faire une halte à leur bureau, de faire procéder à l'identification d'Aurélie Janin et de prévenir ses parents avant de recevoir l'appel de Frémont.

— La grille devant laquelle vous êtes garés est une entrée secondaire du site, jamais utilisée à vrai dire.

C'était trop difficile d'accès pour les camions. Les bâtiments sont d'ailleurs désaffectés de ce côté-là.

— Il y a des caméras ?

— Oui, mais elles sont dirigées vers l'enceinte. Et de toute façon, en l'absence de problème, les enregistrements sont automatiquement détruits toutes les semaines. J'ai vérifié.

— Ça aurait été trop beau, déplore Paul.

Ils suivent le sentier étroit qui les mène sur les berges bordées d'arbres de la petite rivière.

— Il y a quoi sur l'autre rive ?

— La fameuse usine Caréna.

— Donc aucune chance d'avoir des témoins ?

— Je pense que depuis la disparition de la jeune Nobel, quelqu'un se serait manifesté le cas échéant.

Francesco se tait et le suit jusqu'à un attroupement près des restes d'une passerelle en pierre entre cette berge et l'arrière du terrain de l'usine. À cet endroit, les bois sont un peu plus épais.

— C'est dans ce sous-bois que le blouson a été retrouvé.

Frémont leur montre le vêtement déchiré, sali par de la boue et les feuilles mortes en décomposition.

— Ça ressemble vraiment beaucoup à ce qu'elle portait, remarque bien inutilement Jean.

— Où en sont les recherches ?

Frémont part se renseigner. Quand il revient quelques minutes plus tard, il est blême.

— Ils ont trouvé quelque chose.

Il regarde en arrière comme s'il avait le diable aux trousses.

— Les chiens les ont menés jusqu'à une bouche d'égout. Il y a quelque chose qui ressemble à un corps au fond du conduit. Un de leurs gars va descendre pour vérifier.

Francesco et son équipe s'approchent pour assister à l'opération.

Le cadavre remonté un peu plus tard est celui d'une jeune femme vêtue d'un jean et d'un pull beige.

— Je crois que les recherches pour retrouver Marion Nobel viennent de prendre fin…, déplore la procureure qu'ils ont appelée dès que le cadavre a été repéré.

— C'est une sale journée.

Francesco est particulièrement affecté. Il s'approche du corps lorsque l'équipe scientifique le dépose dans la housse mortuaire.

— Son visage…

— Il est encore plus abîmé que le reste, confirme un des techniciens.

— Pourquoi ?

Le gars écarte les cheveux de la morte.

— À vue de nez, fractures multiples.

— Dues à la chute ?

— Je n'en ai pas l'impression. On dirait plutôt le résultat de coups portés au visage.

Francesco entend Hélène Dubreuil retenir son souffle en comprenant les implications de cette information. Tout comme il saisit immédiatement ce qui va se passer. Il fait face à la procureure avec un air suppliant.

— Madame…

— Non, Meduro ! Je sais que vous n'allez pas approuver mon choix, mais ce qui se passe en ce moment est trop gros pour vous. J'ai appelé la PJ de Versailles pour qu'elle prenne le meurtre d'Aurélie

Janin en charge. Et j'ai eu le nez creux avec ce qu'on vient d'entendre.

— Mais…

Elle s'éloigne avec un geste impatient, il se hâte de la rattraper.

— Quand vous les avez appelés pour enquêter sur la disparition de Marion Nobel il y a trois mois, ils n'ont pas fait mieux que nous, n'est-ce pas ?

Elle lui fait face, son index menaçant pointé vers lui.

— Une disparition et deux meurtres dans une ville comme Lomigny-sur-Antelle, c'est trois événements de trop ! Soyez lucide ! Je vous évite d'être jeté en pâture à la presse nationale.

— Les parents d'Aurélie nous ont indiqué qu'elle devait passer la soirée chez toi. Est-ce que tu peux nous dire à quelle heure elle est partie d'ici ?

Au premier coup d'œil, Francesco a reconnu la gosse qui posait avec Aurélie sur la photo dans son portefeuille. Très affectée par la nouvelle du décès de son amie, la jeune fille qui se tient assise sur le banc de son piano face à eux jette un coup d'œil ennuyé vers ses parents, qui ont exigé de rester auprès d'elle pendant cet entretien.

— Dis-leur la vérité, l'encourage sa mère.

Fanny Potier baisse la tête.

— Aurélie et moi, nous ne nous fréquentions plus depuis presque six mois.

— Ah ? s'étonne Francesco. Ce n'est pas ce que nous ont dit ses parents.

— Je sais…, déclare-t-elle avec un soupçon de colère dans la voix.

Son père pose sa main sur son épaule pour tenter de la réconforter. Tout en douceur, elle serre ses doigts pour y puiser de la force.

— Aurélie et moi, nous étions amies depuis la maternelle. Même quand nous n'étions pas dans les mêmes classes, nous ne nous sommes pas perdues de vue. On faisait tout ensemble.

Sa mère approuve en s'essuyant les yeux avec un mouchoir.

— Elles étaient inséparables.

— Et puis, il y a un an environ, Aurélie a commencé à changer, poursuit la jeune fille.

— Comment ?

Fanny réfléchit quelques instants à la meilleure façon de formuler sa réponse sans être blessante. Sa main glisse sur la surface des touches de son instrument.

— Elle a commencé à s'intéresser aux garçons.

— Jusque-là, il n'y a rien d'anormal, remarque Paul avec pertinence.

— Sauf qu'elle ne visait que des gars beaucoup plus âgés qui ne recherchaient pas du tout la même chose qu'elle. Au début, je la suivais par amitié et parce que je la trouvais cool, mais les gens qu'elle fréquentait me faisaient de plus en plus peur. Je me sentais de moins en moins à l'aise et en sécurité avec eux.

Fanny cligne des yeux pour chasser les larmes de ses yeux.

— À côté d'elle, je passais pour une sainte nitouche, elle se foutait de moi, ses copains aussi. J'étais exclue de leur trip parce que je ne buvais pas d'alcool, je ne fumais pas et je ne voulais pas essayer la drogue. J'ai tenté de la ramener à la raison, mais nous nous sommes disputées. J'ai fini par couper les ponts.

Sa mère la prend dans ses bras alors qu'elle éclate en sanglots. Francesco attend que sa crise de larmes s'apaise avant de reprendre.

— Sais-tu dans ce cas pourquoi elle a dit à ses parents qu'elle était avec toi ?

— Corinne et Jérôme avaient une totale confiance en moi. J'étais comme la deuxième fille de la maison. Elle ne leur a jamais dit qu'on ne se voyait plus.

— Elle t'utilisait donc comme alibi ?

— Il semblerait.

Jean et Paul échangent un regard ennuyé.

— Donc tu n'as aucune idée de l'endroit où elle a pu passer sa soirée…

— Je n'ai pas dit ça…

Francesco se penche en avant.

— Alors ?

— Au moment où on a arrêté de se voir, elle passait beaucoup de temps au Chiquito.

— À Lomigny-sur-Antelle ? demande Francesco.

— Oui, c'est un bar à deux pas du RER.

— On connaît, oui, précise Jean.

Après ça, Francesco écourte l'échange, car Fanny n'a plus rien à leur apprendre d'intéressant. Lui et ses hommes quittent l'appartement des Potier pour rejoindre leur voiture.

Malgré les ordres de la proc', Meduro n'a pas pu se résoudre à attendre l'arrivée des renforts prévue ce lundi pour obtenir des réponses. Avec un sentiment d'urgence absolue, il essaie de boucler cette affaire avant que la brigade criminelle ne débarque et ne rafle tous les lauriers.

Paul ralentit en passant devant le bar. Faute de place, il se gare dans une rue parallèle à celle où se trouve le Chiquito.

— Le corps d'Aurélie se trouve sur le trajet le plus logique entre le bar et l'appartement de ses parents, remarque Jean. Elle devait rentrer chez elle quand elle a été tuée.

Francesco pousse la porte du bar. En pleine journée, la lumière ne peut masquer l'aspect vétuste des lieux. Les banquettes en skaï noires sont partiellement éventrées, les chaises sont dépareillées et les tables éraflées. À cette heure-là, la clientèle est essentiellement constituée des habituels poivrots, les piliers de bar qui bouffent leurs indemnités Pôle Emploi en verres de pastis et de vin blanc, qui parlent fort pour prouver qu'ils existent au moins quelque part.

Dès qu'il reconnaît les policiers, le barman, également patron des lieux, se crispe. Son établissement a connu des problèmes quelques années plus tôt. À une époque, en effet, il fermait les yeux sur le trafic de stupéfiants qui se déroulait dans cette salle, moyennant rétribution. Après quelques semaines de fermeture administrative, il était revenu dans le droit chemin. Dorénavant, il se tient à carreau et collabore dès que le besoin s'en fait sentir.

Il se force d'ailleurs à sourire en voyant les policiers approcher.

— Bonjour, messieurs, que puis-je pour vous ?

Francesco lui tend une photo de la petite Janin.

— Salut Marco ! Tu la reconnais ?

Il regarde le portrait qu'il a sous les yeux.

— Ouais. Un joli petit lot, cette gosse. Elle vient souvent.

— Elle était là samedi soir ?

— Oui, comme tous les week-ends. C'est une assidue.

Paul s'assoit sur un tabouret et pose son bras sur le comptoir.

— Parle-nous d'elle.

Marco hausse les épaules.

— J'sais pas moi ! Elle traîne souvent dans le coin.

— Elle fait quoi exactement quand elle vient ?

Il ferme les yeux avant de céder d'une voix lasse.

— Elle arrive avec des potes, mais elle se débrouille toujours pour trouver un mec. Elle lui fait du rentre-dedans, se laisse tripoter et bécoter pendant qu'il lui paye des verres.

— Tu veux dire qu'elle se prostitue ? s'étonne Jean.

— Non ! J'ai pas dit ça ! se récrie le barman, bien conscient de marcher sur des œufs quand de tels mots sont prononcés.

— Tu as dit quoi alors ? demande Paul.

Marco soupire.

— Disons qu'elle n'hésite pas à utiliser ses atouts pour boire à l'œil. Ensuite, elle s'esquive avant que le gars ait compris qu'il s'est fait avoir. Et sa technique fonctionne bien généralement.

— Raconte-nous ce qui s'est passé samedi soir, exige Francesco.

— Ben… il y avait beaucoup de monde, alors…

— Va à l'essentiel !

Marco lève les mains pour montrer qu'il va coopérer.

— Elle s'était trouvé un pigeon quand un autre gars l'a bousculée. Elle a immédiatement changé de cible et elle est restée pendue à son cou tout le reste de la soirée.

Il ouvre le lave-vaisselle et attrape un torchon.

— Et ce gars, tu peux nous en dire plus sur lui ? le relance Paul.

Marco prend un verre qu'il essuie tout en tentant de se remémorer la scène.

— C'est un grand brun avec une belle gueule.

Il range le verre sur une étagère avant d'en prendre un autre.

— Il était là avec sa bande habituelle. Vous savez… ils traînent toujours dans le coin.

D'un geste du pouce, il leur montre un groupe de cinq garçons et deux filles qui squattent un banc au milieu de la place devant la sortie du RER.

Francesco observe les jeunes un instant avant de sentir son cœur s'emballer.

— Et le type dont tu nous parles est là en ce moment ?

Marco plisse les yeux pour les détailler.

— Non. On dirait pas.

Paul perçoit l'excitation de son chef. Ils savent tous que la piste du meurtrier de Marion Nobel est plus froide qu'un glaçon, faute de nouveaux éléments à se mettre sous la dent. Leur seule chance, vu les similitudes entre les deux meurtres, c'est de remonter rapidement celle liée à Aurélie Janin. Or, cette piste vient de les conduire tout droit jusqu'à Milo Léman, le seul de la bande à ne pas se trouver sur la place à cet instant.

— Et la gamine, elle est repartie seule, cette fois ? demande Jean.

Marco jette son torchon sur le comptoir.

— J'avais vraiment du monde samedi soir, je ne peux pas vous dire avec certitude…

Il a l'air sincère, alors les trois policiers le saluent pour rejoindre les copains de Milo.

Mickaël se crispe en les voyant approcher.

— Encore vous ?

— Salut les gars !

Paul adresse un salut aux deux filles qui les accompagnent.

— Il paraît que vous avez passé la soirée au Chiquito samedi, demande Jean avec entrain.

— En quoi ça vous regarde ?

— Ça nous regarde parce qu'une fille a été tuée en sortant de ce bar, intervient Francesco. Une fille qui a passé une grande partie de sa soirée avec vous, les gars.

Il leur tend la photo d'Aurélie.

— Vous nous accusez de quoi au juste ? riposte Samir sans même y jeter un coup d'œil.

— Des accusations ? Non. On vous demande juste de nous dire ce que vous avez vu…

Après plusieurs passes cordiales, tendues, menaçantes puis musclées, il est clair que les cinq voyous font bloc et ne lâcheront rien. Gênées de se retrouver mêlées à ça, les deux filles se sont esquivées sans demander leur reste bien avant que la situation dégénère.

Sur le point d'en venir aux mains, les deux camps se font face avec agressivité. Paul finit par tirer Francesco en arrière.

— Ça sert à rien. On s'en va !

Francesco tente de se dégager de sa prise.

— Ces petits cons font obstruction à une enquête policière ! hurle-t-il en échappant à la poigne de son collègue.

Paul s'interpose et l'oblige à le suivre.

— Ouais, et tu leur fais plaisir en leur avouant ça…

Jean approuve.

— Je ne sais même pas comment on a réussi l'exploit de communiquer avec eux la dernière fois.

— Coup de chance ! Allez, on rentre, décide Paul.

— Et merde ! crache Francesco.

Il ne comprend pas que la jeunesse de son pays méprise à ce point l'ordre et les représentants de la loi. À son époque, l'uniforme lui inspirait le plus grand respect. Aujourd'hui, cela fait d'eux des cibles à abattre. À quel moment les choses sont-elles allées de travers ?

Leur attitude le rend d'autant plus furieux qu'il sait que cet échec marque la fin de leur autonomie sur cette affaire. Les gars de la brigade criminelle vont reprendre la main dès leur arrivée et leur laisser tout le sale boulot.

Quand, les épaules basses, ils arrivent près de leur voiture, Paul remarque une silhouette appuyée contre la façade la plus proche. Il signale sa présence à ses collègues.

— Salut.

Ils reconnaissent une des filles qui se sont éloignées du groupe pendant leur altercation avec les garçons.

— Bonjour. Comment t'appelles-tu ?

Elle regarde autour d'eux pour être certaine que personne de sa connaissance ne traîne dans le coin.

— Mylène Cochas.

— Très bien, Mylène. Tu as quelque chose à nous dire ?

Elle montre le blouson de Francesco.

— Je peux revoir la photo de la fille ?

Il lui tend le portrait qu'elle observe avec circonspection.

— Tu la reconnais ?

Elle serre les lèvres.

— Elle a été tuée, alors si tu sais quelque chose, il faut nous le dire, insiste-t-il.

— Elle a passé la soirée avec Milo Léman, lâche-t-elle dans un souffle.

Francesco ne peut cacher totalement sa réaction de triomphe à ces mots.

— Que s'est-il passé exactement ?

— Elle lui a sauté dessus, s'emporte-t-elle. On la connaissait pas, mais elle s'est incrustée à notre table.

Jusque-là, ça colle avec le descriptif de l'attitude de la gosse.

— Et Milo, il faisait quoi ? demande Paul.

Elle ne peut cacher sa jalousie.

— Que voulez-vous qu'un mec fasse quand une chaudasse comme ça se frotte à lui ? Il en a profité. Ils se sont roulé des pelles toute la soirée.

— Elle est partie seule ?

— Non. Milo nous a tous salués et il l'a raccompagnée.

— Tu es sûre ?

Cette information ne colle pas avec ce qu'a dit le barman à propos du comportement d'Aurélie.

— Oui, répond-elle en les dévisageant avec suspicion.

— Elle n'a pas cherché à s'esquiver en douce ? Tu es sûre ?

Elle hausse les épaules.

— Pedro a essayé de retenir Milo et Manu qui avait décidé de partir au même moment. Milo a dit qu'il avait mieux à faire en montrant la fille qui attendait à l'écart. Elle l'a forcément entendu et elle n'a rien dit. Ils sont sortis ensemble du bar.

Hélène Dubreuil entre dans le bureau de Francesco Meduro. Penché avec ses deux adjoints au-dessus d'une pile de rapports, il ne remarque pas son arrivée.

Elle tousse pour attirer son attention.

— Bonjour, lieutenant.

Ils lèvent tous la tête vers elle et se rembrunissent quand ils remarquent les deux personnes qui la suivent de près.

— Comme je vous l'ai annoncé, j'ai demandé à la PJ de Versailles de nous envoyer deux enquêteurs de la brigade criminelle.

Elle s'écarte pour les laisser passer.

— Je vous demande de leur transmettre toutes les informations nécessaires à la bonne marche de l'enquête et de vous tenir à leur disposition, afin qu'ils bénéficient de votre connaissance pointue du dossier.

Francesco plisse les yeux sous l'effet de la contrariété. Après leur avoir passé un soupçon de pommade dans le dos, la procureure sort du bureau en les laissant dans une situation assez inconfortable.

— Bonjour, je suis le capitaine Éric Déguin, se décide le nouveau venu.

Il s'avance la main tendue.

— Et voici le lieutenant Émilie Duquesne.

Francesco répond à leur salut.

— Lieutenant Meduro et les sergents Hirson et Flamand. Je pense que la procureure Dubreuil a été trop vite en besogne en vous contactant. Nous avons trouvé le coupable.

Sans se démonter, Éric, cheveux en brosse, la silhouette gonflée par une fréquentation assidue de la salle de sport, des bras de la taille d'un tronc d'arbre croisés sur son torse imposant, s'assoit sur le bord d'un bureau.

— Racontez-nous ça, susurre-t-il d'un ton qui hérisse Francesco.

Son regard passe de l'un à l'autre, sa collègue reste debout à côté de lui. Paul sent la tension monter. À quoi joue son supérieur ? Il déconne ! Ce qui compte, ce n'est pas leur orgueil froissé, mais la résolution de cette affaire.

Il s'avance et tire une chaise.

— Lieutenant Duquesne, voici un siège. Nous venons de recevoir les rapports d'autopsie. On peut en prendre connaissance ensemble, si vous êtes d'accord ?

Éric lui lance un regard appréciateur. Il aime ce genre de gars pour qui la mission passe avant l'ego. Captant son changement d'humeur, Émilie Duquesne hoche la tête et accepte de s'approcher.

— Merci.

Francesco soupire tout en notant mentalement que son collègue vient de dénouer le sac de nœuds qu'il venait de rendre inextricable à cause de son intransigeance. Putain de caractère de rital…

Il prend donc la parole d'un ton conciliant.

— Comme vous le savez peut-être déjà, Marion Nobel a disparu il y a environ trois mois.

Il leur raconte comment un voyou local prétend avoir eu une relation sexuelle consentie avec elle, un jour avant qu'elle ne se volatilise. Il les informe du comportement étrange de la jeune fille qui a refusé d'évoquer ce qui s'était passé entre eux avec sa meilleure amie, des circonstances de leur rupture houleuse quelques heures avant sa disparition inexpliquée en pleine nuit. Il leur parle de l'alibi douteux, offert sur un plateau par la mère du suspect.

— Même si l'alibi fourni par une mère vaut ce qu'il vaut, il existe dans votre cas. Avez-vous réussi à établir où était votre suspect en réalité pour le remettre en cause ? demande Émilie.

Francesco soupire.

— Tout portait à croire que Marion Nobel avait fui son domicile pour oublier son aventure avec Milo Léman. À ce stade, les policiers qui ont répondu à l'appel des parents n'ont pas trouvé d'éléments inquiétants. Par conséquent, aucune vidéosurveillance n'a été conservée.

— Et les témoins ? Les voisins ? s'étonne Éric.

Paul secoue la tête.

— On n'a rien trouvé.

— Qu'est-ce qui fait que vous êtes restés focalisés sur Milo Léman ? demande la jeune femme.

— Le père de Milo était un braqueur de bijouteries. Il a été tué en prison pendant sa seconde peine. À l'idée que son fils puisse suivre les traces de son père, Alexandra Léman doit être prête à tout, affirme Jean.

Émilie fronce les sourcils. Tout ça lui semble très subjectif pour le moment. De son côté, Éric hausse les épaules pour signifier qu'il attend d'en savoir plus.

— Pour vous, le mobile, ça serait la rupture ?

Jean approuve.

— Milo Léman a avoué que ce qu'elle lui a dit lui a foutu les boules. Il l'a menacée pour la faire changer d'avis.

— Vous pensez qu'il a forcé Marion Nobel à avoir une relation sexuelle avec lui ? demande Émilie.

— Oui.

— D'après ce que vous dites, il aurait abandonné un préservatif rempli d'ADN sur place rien que pour nous ? Ça ne ressemble pas au comportement d'un homme qui a quelque chose à se reprocher de laisser ainsi des indices à charge, argumente-t-elle. Surtout quand cet homme est un habitué de la maison…

Jean la prend de haut.

— Depuis quand les voyous sont-ils intelligents ?

Elle hausse une épaule.

— En dehors de ça, vous n'avez rien qui relie votre suspect à la disparition de cette fille ?

Jean se récrie.

— Bien au contraire ! Milo Léman a récidivé. Quelque temps après, il a agressé une autre fille blonde. Il l'a suivie dans la rue avant de déchirer ses vêtements. Il a tenté de la jeter au sol. Elle s'en est sortie grâce à trois gars qui traînaient dans le coin qui sont intervenus pour immobiliser Léman.

— C'était quoi son excuse cette fois ? demande Éric.

— Il l'a prise pour la fameuse Marion Nobel. Il était ivre mort, explique Paul en haussant les épaules.

Émilie lui lance un coup d'œil pour marquer qu'elle a noté son ton plus mesuré.

— Vous avez pu l'inculper pour ce nouveau délit ?

— Non. Juliette Coutriers s'est rétractée avant de porter plainte et la proc' a jugé qu'il n'y avait pas matière à le poursuivre pour agression.

— Pour le moment, vous n'avez rien contre lui, en somme…

Jean sent la moutarde lui monter au nez.

— C'est faux !

Paul pose sa main sur son bras pour qu'il baisse d'un ton.

— Hier matin, on nous a appelés suite à la découverte du corps d'une jeune fille, Aurélie Janin. Elle a été frappée à coups de pierre au visage. C'est une hémorragie cérébrale massive qui a provoqué sa mort, dit-il en montrant le rapport d'autopsie posé sur le bureau.

— Nous avons cherché à reconstituer son emploi du temps le soir de sa mort, indique Francesco avant de marquer une petite pause. Aurélie Janin avait pour habitude de draguer des mecs pour qu'ils lui payent à boire, puis de prendre la tangente avant que son subterfuge soit découvert. Samedi soir, elle a choisi le mauvais pigeon.

— Milo Léman, confirme Jean aux deux nouveaux venus. Il est connu pour ses colères et son comportement bagarreur. Or, ils sont partis ensemble.

— Vous voulez dire qu'encore une fois c'est la dernière personne avec qui on ait aperçu la victime ? s'étonne Éric.

— Banco ! Si elle l'a rejeté après s'être foutue publiquement de sa gueule…

— Ça nous donne un mobile pour le meurtre, conclut Émilie.

Francesco approuve et poursuit son exposé.

— Après la découverte du corps d'Aurélie Janin, un promeneur a appelé la police pour signaler que son chien avait retrouvé l'anorak que portait Marion Nobel le jour de sa disparition. Les fouilles sur zone ont permis de retrouver son cadavre.

Encore une fois Paul s'appuie sur le rapport d'autopsie.

— Elle a été frappée à la tête avec une pierre.

— Elle aussi..., constate Éric.

— Certaines similitudes dans l'angle des coups prouvent qu'il s'agit de la même personne. Le tueur est droitier, il est de taille et de force moyennes.

— Marion Nobel venait de lui infliger une peine de cœur et Aurélie Janin venait de l'humilier devant tous ses copains, ajoute Francesco.

Éric adresse une moue contrariée à sa collègue. À cause de ces putains d'embouteillages, ils ont mis deux heures pour venir jusqu'ici, et tout ça pour découvrir que l'enquête est sous contrôle !

Émilie relève le menton en signe de défiance. Éric soupire, car il a appris à faire confiance à l'intuition de sa collègue. Les autres ne le savent pas encore, mais il y a un pitbull dans la pièce. Et le moins qu'on puisse dire, c'est qu'elle n'a pas l'air convaincue pour le moment.

— Est-ce qu'il y a eu agression sexuelle sur les deux jeunes filles retrouvées mortes ? demande-t-elle.

Paul attrape les rapports qu'il consulte rapidement pour lui répondre.

— Pour Aurélie Janin, le légiste est formel : non. Concernant Marion Nobel, le corps est plus abîmé, donc la réponse est moins ferme. Cependant, comme elle portait encore ses vêtements, il y a fort à parier qu'il ne l'a pas touchée non plus.

Émilie tique.

— Si un type accusé d'agression et suspecté de viol en vient à tuer des femmes qu'il connaît parce qu'elles ont froissé son orgueil, vous ne trouvez pas ça curieux qu'il ne les touche pas ? Ça ne vous gêne pas ?

Elle insiste.

— Deux nanas se foutent de lui, il les massacre, sans satisfaire au final le besoin qui a motivé son passage à l'acte, c'est-à-dire le pouvoir et le sexe. Par contre, il accoste une parfaite inconnue, et là, il cherche à la déshabiller ? Il n'y a vraiment rien qui cloche pour vous ?

— Juliette Coutriers s'est débattue et l'a frappé dans les parties pour se défendre. Sévèrement... Dès lors, ça devenait personnel aussi, non ? argumente Jean.

Émilie ne semble toujours pas convaincue par leurs arguments.

— Si nous n'avons aucune preuve directe pour le cas de Marion Nobel, ce n'est pas le cas pour les deux autres, insiste Jean. On a une foule de témoins qui ont vu Milo Léman en compagnie de ses victimes.

— Où est Milo Léman, si vous êtes si sûrs que ça de sa culpabilité ? demande Émilie.

Jean se redresse avec un petit sourire.

— On attendait que les rapports d'autopsie confirment qu'il n'y a qu'un tueur pour les deux meurtres. Avec cette certitude, on peut remettre en cause l'alibi maternel foireux et procéder à l'arrestation.

Éric se lève, suivi par sa collègue.

— C'est parti !

Alexandra est penchée au-dessus d'une planche en bois. Elle découpe des blancs de poulet en morceaux pour le repas du soir. Les champignons de Paris, les lardons, la moutarde et les épices sont déjà en train de mijoter dans la cocotte. Bientôt, elle pourra ajouter la volaille et le vin rouge. Milo raffole de cette recette servie avec du riz.

Elle entend la porte de la maison claquer et des pas rapides.

— Salut, m'man.

— Salut, Milo. Tu manges avec nous, j'espère. J'ai préparé ton plat préféré.

Milo pose sa main sur son épaule et regarde le contenu de la casserole.

— Génial ! J'ai une faim de loup !

— Comment s'est passée ta journée de boulot ? demande-t-elle.

— Bien. Mon chef m'a dit qu'il trouvait que je faisais de l'excellent boulot. Il m'a proposé un contrat avec deux fois plus d'heures que ce que je fais actuellement.

Pour Alexandra, c'est comme si, avec une torche électrique, Milo venait de lui montrer que le bout du tunnel existe quelque part. Loin devant, mais bien réel.

— Je suis très fière de toi, lui dit-elle avec émotion.

— Hum…

Milo et Alexandra se retournent vers Franck. Ils ne savent pas depuis combien de temps il écoute leur échange. Milo est un peu embarrassé d'avoir été surpris en pleine séance de bonne volonté.

— Ça sent bon ! déclare Franck pour dissiper leur gêne.

Alexandra lui envoie un baiser de la main.

— Si l'un de vous veut bien mettre la table, on pourra manger d'ici une demi-heure.

— Je m'en charge, déclare Milo.

— Je vais chercher du pain, propose Franck.

Il sort de la cuisine au moment où la sonnette de la porte d'entrée retentit.

— J'y vais.

Il ouvre.

— Salut, Franck.

Il cligne des yeux et recule alors que son sourire se fane sur ses lèvres.

— Francesco… Que se passe-t-il ?

Meduro lui tend un papier.

— C'est une commission rogatoire pour fouiller la maison.

— C'était qui ? demande Alexandra en entrant dans la pièce.

Dès qu'elle voit les cinq policiers, elle se fige. Une femme blonde coiffée avec une queue-de-cheval dont pas une seule mèche ne dépasse s'avance vers elle.

— Votre fils est-il là, madame Léman ?

— Milo !

Il apparaît avec une pile d'assiettes dans les mains.

— Oui ?

Il lève les yeux et remarque enfin leurs visiteurs. Il se rembrunit.

— Qu'est-ce que j'ai fait, cette fois ?

Ils se sont déplacés à cinq pour lui, c'est mauvais… Très mauvais. Le bodybuildé s'avance vers lui.

— Nous sommes là pour fouiller la maison.

Alexandra observe la scène avec un sentiment d'irréalité d'autant plus prononcé qu'elle entend la réponse ironique de Milo.

— Allez-y. On ne peut rien vous refuser de toute façon.

— Pouvez-vous me conduire à la chambre de votre fils, madame Léman ? demande Émilie.

Alexandra a les larmes aux yeux, mais elle se secoue.

— Heu… oui.

— Je peux…, tente Milo, mais les policiers s'interposent.

Il lève les mains en douceur et regarde les deux femmes s'engouffrer dans sa chambre.

— Pouvez-vous me confier les vêtements qu'il portait samedi soir ? demande la policière en remarquant la pile de linge posée en vrac sur un fauteuil.

Sous le choc, Alexandra lui remet le jean, le tee-shirt et le sweat à capuche du haut de la pile.

— Je peux avoir ses chaussures également ?

Émilie reste pensive en la voyant obéir sans rechigner.

— Vous êtes sûre que ces affaires sont les bonnes ?

Émilie s'étonne. Vu les projections de sang sur les

photos de la scène de crime, les baskets et les vêtements que portait Milo ce soir-là devraient en être couverts. En toute logique, il devrait déjà les avoir passés à la machine pour tenter d'effacer les traces de son crime. Et pourtant…

— Oui, ce sont les bonnes ! Mais prenez tout si ça peut vous faire plaisir ! s'emporte Alexandra.

D'un geste hargneux, elle soulève la pile de vêtements pour les jeter dans les bras de la policière.

Elle se souvient encore avec horreur de la soirée où Victor a été arrêté. Et maintenant son fils ! Elle cache son visage dans ses mains alors que ses nerfs menacent de lâcher.

— Je ne comprends pas ! J'ai tout fait pour lui. Tout.

Émilie lui pose doucement la main sur l'épaule. Elle constate que la mère de Milo n'a pas l'air surprise de les voir là. Ce qu'elle vient de dire ressemble d'ailleurs à un aveu.

— Même mentir pour lui fournir un alibi, avance-t-elle avec tact.

Alexandra lui lance un regard las. Elle ouvre la bouche, mais un dernier sursaut de fidélité l'empêche de parler.

— Prouvez-le ! lance-t-elle à la place, sous forme de défi.

— Pas besoin. On a toutes les preuves qu'il nous faut pour que votre témoignage concernant cette soirée ne soit pas recevable.

Ce n'est pas tout à fait vrai, mais l'argument porte. Les jambes d'Alexandra se mettent à trembler, pourtant elle reste près de la jeune femme pendant que celle-ci fouille méthodiquement toute la chambre de

Milo. Quand elles reviennent dans la pièce, Franck se tient près de la sortie, blême de fureur à l'idée d'être humilié ainsi sous son propre toit. Milo est assis sur le canapé, entouré de trois policiers. S'il est nerveux, cela ne se ressent pas dans son attitude.

Émilie adresse un signe de tête à ses collègues. Francesco et Éric Déguin s'avancent vers lui.

— Milo Léman, tu vas être placé en garde à vue pour les meurtres de Marion Nobel et Aurélie Janin.

— Non ! hurle Alexandra avant de s'effondrer sur elle-même.

Après un dernier regard incrédule vers sa mère, Milo se lève et leur tend ses poignets.

Milo observe la salle d'audition. Genre ! Avec un rictus, il pose les mains à plat sur ses cuisses et attend que quelque chose se passe. Au bout d'un temps raisonnablement long, trois policiers entrent dans la pièce : le flic avec un nom italien qui semble le détester, Musclor qui lui fiche un peu les jetons et la jolie blonde.

Il ne peut retenir une petite moue ironique. Il se demande lequel va endosser le rôle du gentil. Est-ce qu'ils vont utiliser le fait que la fliquette ressemble à Marion pour tenter de l'amadouer, de jouer avec ses nerfs ou de réveiller les instincts de tueur qu'ils lui prêtent ?

— Tu es accusé du meurtre de Marion Nobel, commence Francesco.

Milo secoue la tête.

— J'ai entendu, mais vous vous trompez. Elle est montée chez elle avec son père et je ne l'ai pas revue ensuite. Et puis, j'ai un alibi pour cette soirée. Vous ne pouvez pas inventer des événements qui ne se sont pas passés !

Francesco poursuit comme si de rien n'était.

— C'est dommage que pour Aurélie Janin, tu n'aies aucun baratin de ce genre à nous servir…

Milo hausse un sourcil.

— Qui ?

— Aurélie Janin.

— On dirait que pour vous, c'est une évidence… Son nom est censé me dire quelque chose ?

— C'est celui de la fille que tu as draguée au Chiquito…

Milo blêmit et Francesco profite allègrement de son trouble.

— Tu sais, la fille avec qui tu es parti, et ce devant une foule de témoins qui vous ont préalablement vus vous bécoter toute la soirée.

L'attitude de Milo change légèrement, comme s'il venait de prendre conscience du danger.

— Elle est morte ? demande-t-il, effaré.

— Oui.

— Quand je l'ai laissée, elle était en vie, se défend-il.

— C'est probable.

Milo lance un coup d'œil étonné vers Émilie.

— Elle est décédée d'une hémorragie cérébrale lente. Tu as parfaitement pu partir avant qu'elle ne pousse son dernier soupir.

Milo serre les dents.

— C'est faux ! Je ne lui ai rien fait !

— Comme à Juliette Coutriers, n'est-ce pas ? lâche Francesco.

Milo écarte cette idée d'un geste impatient de la tête.

— Combien de fois faudra-t-il que je vous dise que j'ai cru que cette fille était Marion ? Vous croyez franchement que si je l'avais tuée, j'aurais fait cette confusion ?

— Avec l'alcool que tu avais ingurgité, tout est possible…, ironise Francesco.

— Tu dis que tu ne lui aurais rien fait, pourtant, cette Juliette Coutriers a eu peur et elle t'a frappé, ajoute Éric.

— Et ça ne pouvait pas être Marion puisque son corps était en train de pourrir au fond d'un trou, assène Francesco, mais je ne t'apprends rien, contrairement à ce que tu prétends.

Le visage de Milo a perdu ses couleurs.

— Que lui est-il arrivé ? demande-t-il avec hésitation.

— Comment ça ? Tu as besoin qu'on te rafraîchisse la mémoire ? Quelle arme as-tu utilisé ? Voyons voir… un poignard ?

Milo soupire.

— Vous me prenez vraiment pour un con ! Vous m'avez arrêté pour les deux meurtres. Or vous avez dit que la fille du bar est morte d'une hémorragie cérébrale, pas poignardée.

Éric lance un coup d'œil vers sa collègue. Pour rester calme à ce point, le gosse est soit vraiment habitué à se faire cuisiner, soit il a un aplomb hors du commun, soit, et Éric y pense à son corps défendant, il est innocent. Il tente un coup de bluff pour voir sa réaction.

— Tes vêtements sont en notre possession pour analyse. Tu veux nous annoncer quelque chose, avant que les scientifiques s'en chargent ?

Milo hausse les épaules.

— Vous trouverez son ADN dessus, c'est sûr. On a passé la soirée collés l'un à l'autre, comme vous le savez déjà.

Francesco lâche un petit rire.

— On le sait. Tout comme on sait que la gosse était une arnaqueuse de première. Ça t'a fait quoi de découvrir qu'elle s'était foutue de ta gueule ?

Milo se rembrunit. Ils n'ont pas besoin de l'humilier ainsi. Il se sent assez con d'être sorti avec cette fille qui l'a pris pour un pigeon sans qu'ils en rajoutent.

— Si vous voulez tout savoir, j'ai eu les boules quand elle me l'a annoncé, mais ça ne m'a pas donné envie de la tuer ! affirme-t-il.

— Pourtant la colère, c'est bien ton truc, non ? susurre Francesco.

Milo retient son souffle avant de lui lancer un coup d'œil provocateur.

— Si vous aviez vu votre père se faire arrêter par des enculés de flics alors que vous aviez quatre ans, vous aussi vous seriez en colère contre le monde entier, mais ça ne ferait pas de vous un tueur pour autant !

Insensible à ses insultes, Émilie s'assoit devant lui en feuilletant son dossier.

— Il y a eu des dépôts de plainte contre toi : des coups de poing distribués, des bagarres. Et cette fille a poussé le bouchon un peu loin, non ?

Milo la dévisage.

— Vous voulez savoir si je l'ai frappée ? Eh bien, non ! Je l'ai traitée de pute et je suis parti.

Les vidéos de surveillance de la scène de crime qu'ils ont visionnées ne sont que partiellement exploitables. Ils ont bien reconnu les deux jeunes gens qui marchaient ensemble avant de s'engager sous les arcades des immeubles de la résidence des Arbrisseaux. Malheureusement, la caméra est placée à l'extrémité opposée de la rue sur le rond-point des Hirondelles, et la prise de vue verticale ainsi que l'architecture de la construction ont soustrait le couple aux regards des policiers. Seul Milo a fini par ressortir de l'ombre quelques minutes plus tard.

Avec ça, ils peuvent juste prouver qu'il était avec la victime à l'heure présumée de sa mort, ce qui est déjà beaucoup.

Un petit coup frappé à la porte leur fait tourner la tête. Les trois policiers sortent l'un derrière l'autre.

— Alors ? demande Francesco à Paul.

— Les premiers résultats viennent de tomber. Il n'y a pas une seule goutte de sang sur les vêtements de Milo.

Francesco ne peut retenir un cri de dépit.

— Et merde !

— Sa mère aurait-elle pu nous fournir les mauvaises fringues ? demande Éric à sa collègue.

Émilie secoue la tête.

— Elle m'a proposé de prendre tout le tas de linge sale. Il n'y avait pas de sang dessus. Sans compter que les témoins ont décrit les fringues de Milo et elles correspondent à celles qui sont en notre possession.

Contrarié, Francesco revient à Paul.

— Autre chose ?

— Oui, on a pu comparer les indices trouvés sur la scène de crime avec l'ADN qu'on a prélevé sur Milo Léman après la disparition de Marion Nobel. Et là, on a touché le gros lot. Il y a un mégot, de la salive sur la peau d'Aurélie Janin et un cheveu à lui sur le tee-shirt de la victime.

— Ils ont passé la soirée ensemble et il ne l'a pas nié, indique Émilie. Le plus intéressant, c'est le mégot trouvé à côté du cadavre.

— On le tient, alors, jubile Francesco.

— Je ne comprends pas, Milo ! Tout allait bien ! Tu avais un travail, une vie qui allait pouvoir démarrer. Qu'est-ce qui a pu te passer par la tête ?

— Absolument rien ! Je te le jure. Je suis parti sans lui faire de mal à cette fille !

— Arrête de me mentir ! lui reproche Alexandra entre ses dents. Les policiers disent qu'elle s'est foutue de toi et que tu l'as tuée sous l'effet de la colère.

Milo secoue la tête et affiche une moue désabusée.

— Et depuis quand ils savent mieux que moi ce que j'ai pu faire ?

Alexandra lui lance un regard froid qui réduit à néant sa tentative pour détendre l'atmosphère.

— Je ne sais plus si je peux te faire confiance, déplore-t-elle.

Elle cache son visage dans ses mains avant de prendre une inspiration et de regarder autour d'elle. Dire qu'elle s'était juré de ne jamais remettre un seul pied au parloir de la prison de Fleury-Mérogis !

Quelques box sont occupés, mais personne ne regarde ouvertement dans leur direction. En tant que nouvel arrivant en détention provisoire, Milo est encore en cellule individuelle. Il n'a pas encore eu le privilège de goûter à la compagnie de la faune locale. Pour autant, dès qu'il sera mêlé aux autres détenus – car cela arrivera forcément même avant la fin de son procès –, il se retrouvera sans filet, livré à lui-même. Cette seule idée broie l'âme de sa mère.

— Tu ne peux pas penser que j'ai pu faire les trucs dont on m'accuse ! la supplie-t-il. M'man, voyons !

Elle essuie discrètement une larme sur sa joue.

— S'il n'y avait eu que Marion ! Mais il y a eu cette seconde agression, puis la fille avec qui tu passes la soirée qui se fait tuer. C'est trop, Milo ! Comment quelqu'un pourrait-il encore croire en ton innocence ?

Il se penche au-dessus du muret qui les sépare et pose sa main sur la sienne.

— Je te jure…

— Pas de contacts physiques, les interrompt un gardien, qui a remarqué le geste de Milo.

Il retire docilement sa main et recule.

— Tu sais ce que les types d'ici font à des gars comme moi ? lui demande-t-il dès qu'ils retrouvent un peu d'intimité.

Elle lève les yeux vers son fils et croise son regard terrifié.

— Je suis un petit nouveau et tout me désigne comme une proie facile, une victime. J'essaierai de lutter, m'man, mais je ne ferai pas le poids contre eux, pas s'ils décident de me faire du mal.

Elle retient son souffle en observant son visage viril et séduisant, ses cheveux noirs ondulés mi-longs, son corps raisonnablement athlétique. Milo est un beau garçon, du genre de ceux qui constituent un mets de choix pour les détenus à la sexualité exacerbée par le manque. C'est aussi une grande gueule qui risque de s'attirer des ennuis et n'aura pas la carrure nécessaire pour échapper aux conséquences de ses actes. Au regard défait qu'elle pose sur lui, il voit qu'elle a compris.

— J'espère juste rester en vie…

Un frisson secoue Alexandra. La peur et les doutes s'effacent pour ne laisser que l'inéluctable. La décision s'impose sans qu'elle la formule consciemment.

— Je vais faire tout ce que je peux pour t'aider, Milo.

Il soupire avec un soulagement sincère.

— Merci, m'man.

Elle remarque alors tous les efforts qu'il fournit pour avoir l'air sûr de lui et blasé aux yeux des autres. Il prépare déjà la confrontation inévitable avec la meute de fauves qui attendent de la chair fraîche. Il s'habitue à donner le change.

— Il faut que tu tiennes bon, Milo. J'ai contacté Florent Courrège, l'avocat qui a défendu ton père, et il m'a transmis les coordonnées d'un confrère.

Il baisse les yeux.

— Comment tu vas payer ?

— Je vais me débrouiller. Ne t'inquiète pas.

Il secoue la tête avec incrédulité.

— Je suis tellement désolé. Je ne comprends pas comment toute cette merde a pu se produire. J'avais une vie, des amis, et d'un seul coup les flics arrivent avec leur faisceau de preuves bidon et je me retrouve ici…

Il s'arrête avant que la triste réalité ne vienne fragiliser la façade qu'il offre au monde extérieur. Il remarque alors la gêne de sa mère.

— Quoi ? Il s'est passé quelque chose ?

Alexandra soupire.

— Je ne voulais pas t'en parler, pas alors que tu as déjà tant d'autres choses à gérer…

— Dis-le-moi.

— En rentrant du travail, j'ai croisé ton ami, Mickaël. Il était mal. On a discuté et il m'a dit que c'était dur de perdre deux amis en même temps.

— Deux amis ? Pourquoi deux ? C'est qui le second ?

Elle se mord les lèvres.

— Manu. Il s'est tué en voiture, après ton arrestation. Il roulait trop vite et son véhicule a quitté la route pour aller percuter un arbre. Il est mort sur le coup.

— Non ! gémit-il.

Manu était un chien fou en quête d'amour, toujours à chercher l'attention et l'approbation des autres membres de la bande. Milo éprouve un vif regret à l'idée que Manu ait pu garder un mauvais souvenir de lui à cause d'une fille. Milo n'est pas responsable du désintérêt de Mylène, bien sûr, mais s'il s'était occupé de ses potes au lieu de se laisser prendre dans les filets de cette Aurélie, il n'en serait pas là.

Le poids du deuil s'abat sur lui. Il ploie un bref instant avant de se ressaisir.

— Si tu la vois, présente mes condoléances à sa cinglée de mère. Du moins, si elle accepte les mots de réconfort d'un mec accusé de meurtre.

Alexandra ressent une bouffée de ressentiment à l'idée que leur nom de famille ait encore une fois fait la une des journaux. Sans même attendre que la culpabilité de Milo ait été confirmée par un jury, il a déjà été condamné par les médias et livré en pâture à un public avide de lynchage.

Avant qu'ils aient le temps de poursuivre cette discussion, une alarme se met à sonner. Alexandra regarde autour d'elle, surprise.

— C'est la fin des visites, lui annonce avec douceur le gardien venu raccompagner Milo.

À voir la tête de la mère et du fils, il a vite compris que c'était le premier séjour du gosse en prison. Milo se lève avec lenteur.

— Tu reviendras ?

— Oui. Dès que possible.

— Allez, gamin. On doit y aller.

Tout en le suivant, Milo ne peut s'empêcher de lancer un dernier coup d'œil à sa mère.

Alexandra tourne en rond dans son salon. À chaque seconde qui passe, elle imagine son fils en train de subir des horreurs : bagarres, coups, drogue, endoctrinement, viols, mort… Tout y passe dans son esprit enfiévré par la terreur.

Quand elle était petite, son père s'était passionné un temps pour l'entomologie. Il avait trouvé de beaux coléoptères, des lucanes cerfs-volants, si sa mémoire est bonne, ainsi que d'autres bestioles aux noms imprononçables dont la carapace affichait des reflets bleu irisé. Il les avait plongés dans l'éther acétique avant de les épingler sur un tableau recouvert de feutrine verte.

Quand, le lendemain, il avait constaté que les animaux s'étaient réveillés et gesticulaient inutilement pour échapper à l'épingle traversant leur corps, il avait été dégoûté de sa lubie.

Alexandra se sent comme ces insectes. Immobilisée et traversée par son angoisse, elle a beau se débattre de toutes ses forces, l'impuissance la cloue sur place.

Pour la millième fois, elle prend son téléphone portable pour appeler Benjamin Valmont, l'avocat de

Milo. Comme si, depuis tout à l'heure, un événement avait pu changer quelque chose à ce cauchemar…

Une larme roule sur sa joue et elle s'oblige à reposer l'appareil. Elle s'assoit au bord du canapé.

Que peut-elle faire d'autre ?

Sa raison se fissure sur des dizaines de scénarios irréalisables. Il doit forcément y avoir des preuves à décharge. Et si elle organisait une évasion ? Si elle payait un détective pour trouver le vrai coupable… Si, si, si…

Son cerveau tourne à plein régime pour lui livrer des options toutes plus délirantes les unes que les autres.

Franck entre dans la pièce au moment où elle se remet à pleurer de dépit. Il a envie de la prendre par les épaules et de la secouer jusqu'à ce qu'elle réalise que son fils est enfin à sa juste place et qu'elle doit cesser de perdre du temps pour lui.

Malheureusement, ce gosse a toujours monopolisé toute l'énergie de sa mère. Et cette fois, c'est encore pire. Dès qu'elle rentre du boulot, elle reste des heures sans bouger, le regard dans le vide, et Franck ne parvient pas à attirer suffisamment son attention pour la réconforter.

Il s'approche et lui touche la joue.

— J'ai fait à manger. Tu viens ?

Elle secoue la tête.

— Je n'ai pas faim.

Il s'assoit près d'elle.

— Il faut que tu te secoues, Alexandra. Tu ne peux pas te laisser aller ainsi ! Tu vas te rendre malade.

Elle éclate en sanglots rauques et douloureux. Il tend la main pour la prendre dans ses bras, mais elle résiste.

— Que puis-je faire pour aider Milo ?

Il lui semblait qu'à cet instant il était plutôt en train de s'occuper d'elle et non de ce petit emmerdeur.

Il n'a pas le temps de répondre, elle se lève et se remet à tourner en rond dans le salon.

— Comment le protéger des autres détenus ? Comment le faire libérer ? Comment prouver son innocence ?

Franck a envie de hurler, mais il se retient par égard pour elle.

— Tu ne peux pas. Il va purger sa peine.

— Tu fais comme s'il avait déjà été condamné ! s'indigne-t-elle.

— C'est inévitable, et c'est tout ce qu'il mérite après ce qu'il a fait à ces filles !

Alexandra ne l'a jamais regardé de cette façon. Il frissonne face à son expression emplie d'une haine pure et viscérale.

— Milo n'a rien à voir avec ce qui leur est arrivé.

Il lève les bras au ciel.

— Tu délires complètement ! Ton fils est coupable, tu ne peux rien y changer.

Elle serre les lèvres. Il insiste.

— Il te faut quoi comme preuves supplémentaires ? Il a violé Marion Nobel avant de la menacer devant un témoin. Il est revenu brailler sous sa fenêtre en pleine nuit pour l'attirer hors de chez elle et il l'a…

— Il était à la maison à cette heure-là ! hurle-t-elle.

Il secoue la tête.

— Pas à moi, Alexandra. Je te connais bien plus que tu ne le crois. Je sais exactement quand tu mens. Milo n'était pas rentré, contrairement à ce que tu prétends. Tu le sais, je le sais, mes collègues le savent…

— Comment oses-tu ?

Il a bien remarqué sa réaction surprise.

— Tu ne comprends pas que si tu continues sur cette voie, tu vas être inculpée ? C'est ça que tu veux ? Aller en prison pour faux témoignage et complicité de meurtre ?

— C'est pratique, rage-t-elle. À chaque fois qu'un témoin ne dit pas ce que vous attendez, vous l'obligez à changer sa version en faisant pression sur lui !

Il soupire.

— Alexandra... Il a agressé une deuxième fille, puis passé la soirée avec une autre qui a été retrouvée morte le lendemain matin de la même façon que Marion... On a retrouvé un mégot avec l'ADN de Milo aux pieds du cadavre. Tu veux quoi comme preuve supplémentaire ?

Elle se bouche les oreilles.

— Tais-toi ! Je ne veux rien entendre. Il y a forcément une autre explication !

Il s'emporte brutalement.

— Tu dois arrêter de le protéger et de mentir pour lui !

Il fait un pas vers elle et lui attrape les poignets dans une étreinte violente pour les écarter de ses oreilles.

— Il leur a défoncé le visage avec une pierre aux arêtes tranchantes ! Tu comprends ça ? Il les a frappées avec acharnement jusqu'à ce que leur peau éclate et que leurs os se brisent. Ensuite, il les a laissées crever ! C'est vraiment ce monstre que tu veux protéger ?

Le corps d'Alexandra devient mou face à lui. Elle s'effondre à genoux en l'entraînant dans sa chute.

— Sors de chez moi, sanglote-t-elle. Va-t'en !

Vidé par leur affrontement, il la lâche.

— C’est vraiment ce que tu souhaites ? demande-t-il d’une voix affectée.

Elle enroule ses bras autour d’elle en se balançant d’avant en arrière.

— Je veux mon fils ! Milo…

— Alexandra, s’il te plaît…

Il voudrait qu’elle se rende compte de ce qu’elle est en train de faire.

— Je refuse de vivre avec quelqu’un qui œuvre contre ma famille sous mon propre toit, murmure-t-elle.

Blessé au-delà de tout parce qu’elle vient de l’exclure de ladite famille avec ces mots, Franck se redresse.

— Si je pars, je ne reviendrai pas cette fois.

Elle ne fait rien pour le retenir.

— Putain de semaine ! Où je le mets, celui-là ?

— Enculé ! J'vais te faire la peau ! hurle le caïd des cités qui tient plus du chat sauvage que de l'humain à cet instant.

Dans la salle de contrôle, le gardien consulte l'écran de son ordinateur avant de lâcher un soupir las à l'intention de son collègue, tout aussi blasé.

— On n'a plus de place.

Il appelle un autre collègue.

— Damien ? T'as pas une idée ?

L'interpellé, un Guadeloupéen immense et tout en muscles, approche des deux autres de son pas chaloupé.

— C'est le jeu des chaises musicales. Pas d'autre solution.

— OK.

Pierre tape sur son clavier pour consulter les fiches des prisonniers qui occupent les cellules individuelles.

— Vol à main armée, escroquerie, bagarre qui a mal tourné, meurtre, accident de voiture sous emprise de substances illicites…

Il se tourne vers ses collègues.

— On bouge lequel ?

Damien se penche en avant pour se faire sa propre idée.

— Le 4, le meurtrier.

— C'est parti.

Pierre se lève et se poste devant les barreaux de la 4. Allongé sur sa couchette et les yeux dans le vide, Milo lève la tête vers lui.

— Toi ! Debout.

Milo obéit. Il se laisse passer les menottes et tirer hors de sa cellule, là où l'attend un géant black.

— En avant, soupire celui-ci en lui prenant le bras.

— Où vous m'emmenez ? s'inquiète Milo.

Le gardien qui escorte le caïd lui lance un regard moqueur.

— Dans le grand bain.

Milo se fige, mais le gars qui l'a pris en charge le tire, l'obligeant à avancer. Ils traversent les coursives jusqu'au poste de contrôle suivant. Après un échange animé entre les matons, ils réussissent finalement à lui trouver un lit.

La grille suivante s'ouvre et Milo pénètre dans la fosse aux lions. La haine, la peur, la corruption, le mal qui règnent ici sont perceptibles au premier pas, comme si Milo venait de se prendre un mur dans la face. Il baisse les yeux.

Il entend des hurlements de désespoir et de colère dans une dizaine de langues au moins, le son de séries télé débiles, les moqueries qui accompagnent son passage et les propos salaces qui lui promettent un destin peu enviable et lui glacent le sang.

Comment en est-il arrivé là ? Si seulement il avait écouté sa mère. Cette soirée, elle lui avait déconseillé d'y aller. S'il avait obéi, il n'aurait jamais croisé cette Aurélie…

S'il arrive à sortir d'ici en un seul morceau, il se fait la promesse de se ranger et de ne plus jamais remettre un pied en prison.

L'Antillais se poste devant une porte.

— C'est là.

Il libère les mains de Milo et le pousse dans le dos pour le faire entrer.

Trois paires d'yeux se lèvent vers lui. Un colosse au crâne rasé et aux muscles saillants, assis à une table ridiculement petite en comparaison de sa carrure, essaie de mettre des piles dans un appareil. Ses doigts épais, peu adaptés à cette tâche, manquent leur cible. Les piles lui échappent et viennent rouler jusqu'aux pieds de Milo.

Il s'accroupit pour les ramasser et les lui tend.

— Ça sert à rien, ce truc ne fonctionne plus depuis des mois, se moque un gars au teint basané, allongé sur une des couchettes du haut.

— Oh ! Ferme ta gueule, Mika, soupire le bricoleur.

La porte se referme derrière le dos de Milo qui ressent une brusque bouffée d'angoisse à cette idée. Mika se redresse sur son lit, laissant pendre ses jambes fines dans le vide.

— T'es drôlement mignon, toi !

— C'est vrai, ça, confirme le troisième détenu avec une lueur d'intérêt dans les yeux.

Son corps sec et nerveux de prédateur se tend vers lui. Son regard insondable et ses cheveux poivre et sel montrent que l'expérience, la patience et la ruse sont de son côté.

Milo évalue vite ses options. Sa priorité numéro un : rester en vie, évidemment. Et la seconde ? Ne pas se faire tabasser ni blesser. La troisième : garder son intégrité physique. Pour tout le reste, il est prêt à faire des concessions, à trouver les bons amis et à suivre les bons plans.

Comme celui qui a le crâne rasé n'a pas récupéré les piles dans sa main tendue, Milo les pose à côté de lui.

— Je m'y connais un peu, tu veux que je jette un œil ?

Une étincelle de joie s'allume dans les yeux du type avant que sa raison ne reprenne le dessus.

— Pourquoi tu f'rais ça ?

Milo ignore tout des codes, des « prêtés » pour un « rendu » et autres subtilités qui régissent les lieux. Il espère ne pas commettre d'impair.

— Pour t'aider…

Après un instant de flottement et de surprise, l'autre lui tend le poste de radio avec précaution.

Milo vient de jouer son avenir sur un coup de dés. Reste à savoir si le baraqué est un bon investissement en termes de protection.

Milo est assis devant le poste de radio qu'il a totalement désossé grâce au tournevis que Slobodan lui a confié. Milo ne veut pas savoir à quoi il a pu servir, même s'il en a une idée assez précise.

Face aux petits composants éparpillés devant lui, il est pris d'un doute subit. Et s'il n'y arrivait pas ? Comment réagira Slobodan s'il lui rend un objet auquel il semble beaucoup tenir en miettes ?

Milo n'a pas le choix, il doit rester concentré et réussir. Les instants qui vont suivre seront décisifs. Il a l'impression d'être un équilibriste sur un filin tendu entre deux immeubles, un vide abyssal sous ses pieds avec pour seule échappatoire d'atteindre l'autre bord.

En rassemblant toutes ses maigres connaissances glanées pendant ses années de lycée, Milo se penche et vérifie les pièces une par une pour détecter une éventuelle anomalie. Et soudain, il remarque qu'une des pattes d'une résistance du circuit imprimé est cassée.

Il est soulagé d'avoir identifié le problème, pourtant il va devoir réaliser un travail de précision sans outils et avec les moyens du bord. Il regarde autour de lui, un peu perdu.

Il ferme les yeux, incapable de penser à autre chose qu'à cette première nuit passée avec les autres. Un brusque sentiment de terreur l'étreint à l'idée que ce n'est que la première d'une longue série. Ses doigts se mettent à trembler.

Milo s'exhorte au calme. Il n'a pas le choix. Cette réparation est essentielle, car sans protection, il ne tiendra pas longtemps. Les dangers en tout genre, qu'ils soient incarnés par des membres de gangs, des fanatiques religieux ou des prédateurs sexuels, se dressent partout sur son chemin. Sans le Serbe, Milo ne se donne pas une semaine. Et encore, ça, c'est la version optimiste !

Dire qu'il se croyait malin à l'extérieur ! Putain ! Régner sur la place du RER d'une ville-dortoir de banlieue ! La gloire ultime pour un loser de son espèce !

Il en pleurerait de dépit et de honte si cela ne risquait pas de signer son arrêt de mort.

Et dire que sa mère a tout fait pour le pousser à être meilleur, à ne pas se fourrer dans les emmerdes, à résister au chant de la facilité et de l'échec. Il s'est laissé guider par la colère et elle l'a mené dans le pire des endroits sur terre. Mais quel con !

Rien dans sa vie n'a pu le préparer au choc de son nouvel environnement. Le sentiment d'insécurité et de harcèlement permanent du primaire ? Les tensions et les pétages de plombs au collège ? Les regards en coin effrayés de ses condisciples ? Du pipeau ! Il n'a jamais été aussi en danger qu'en ce moment.

Il songe brièvement à son père. Victor était un braqueur, il avait les moyens de survivre en taule, le réseau et les contacts nécessaires pour nager comme un poisson dans l'eau ici. Milo ne sait pas s'il en a la capacité pour sa part. Cette première nuit durant laquelle il n'a pas fermé l'œil a mis ses certitudes à rude épreuve. Les nerfs à fleur de peau, il se sent désemparé et faible comme jamais. La première sortie pour se rendre aux douches collectives lui a donné la sensation de se passer une corde au cou. Il a ressenti les regards appréciateurs des autres sur lui comme des intrusions. Il a encore la nausée rien que d'y songer.

Quand un gardien est venu pour lui proposer des activités, Milo a décliné, trop effrayé pour oser sortir de sa cellule. Paternaliste, l'agent a répliqué que plus il attendrait et plus ça serait dur. Milo sait qu'il a raison : il devra bien se lancer, un jour. Il aimerait juste ne pas avoir à le faire seul.

Dépendre d'un inconnu sur lequel il compte tout miser le déstabilise complètement. Dépendre de cette putain de radio portative le fait flipper ! Si seulement il avait mieux écouté en cours ! Il est peut-être en train de gâcher sa seule opportunité…

Un bruit lui fait lever les yeux. Mika se tient contre la porte ouverte et l'observe.

— Qu'est-ce que tu fais ? demande Milo les dents serrées.

Mika vient s'asseoir sur la couchette de Chabert, le violeur multirécidiviste qui occupe le quatrième lit dans leur cellule.

— Je t'ai entendu bouger dans ton lit cette nuit.

Milo hoche la tête sans répondre.

— Tu as peur ?

Un signal d'alarme retentit sous le crâne de Milo.

— Non ! c'est juste que… il y a toujours du bruit, ici. C'est tout le temps comme ça ?

Mika soupire.

— Ouais ! Et encore, tu n'as pas entendu Slobodan ronfler ! T'as l'impression d'avoir l'oreille collée sur un réacteur d'avion !

Milo sourit faiblement.

— J'ai hâte…

Mika redevient sérieux soudain.

— Je voulais te dire que tu as bien choisi. Slobodan est une brute, mais une brute réglo. Méfie-toi de Chabert, par contre. Arrange-toi pour ne jamais te retrouver seul avec lui et pour ne pas attirer son attention. Il est du genre mauvais et n'hésitera pas à t'utiliser comme monnaie d'échange.

— Comme monnaie d'échange ?

— S'il contracte une dette, il va t'envoyer la rembourser à sa place.

— De quelle façon ? demande Milo.

— Ça dépend du créancier… On peut te demander de passer de la marchandise à un autre détenu, que tes visiteurs ramènent des cigarettes ou d'autres trucs, et ça peut aussi tourner autour de faveurs sexuelles…

— Et j'ai pas mon mot à dire ? s'exclame un Milo horrifié.

— Face à Chabert et ses copains ? Vaut mieux pas essayer, répond Mika en haussant les épaules.

— Et pourquoi tu es venu me dire tout ça ? demande Milo avec suspicion.

— Parce que tu es trop tendre pour survivre longtemps ici. Et que ta trouille… ben… ils la sentent.

Le sang de Milo se glace dans ses veines.

— Je te laisse, annonce-t-il tout en posant sa main sur l'épaule de Milo, comme pour le réconforter.

— Attends ! l'appelle Milo. Est-ce que tu sais où je pourrais me procurer un peu de matériel ?

Mika revient sur ses pas.

— Comme ?

— Un briquet ? Du scotch ? Un peu de fil de fer ?

— Et tu veux pas que j'te suce la bite, tant qu'on y est ? s'esclaffe Mika.

Quand il voit la tête de Milo, il soupire.

— Bouge pas. Je vais voir ce que je peux faire.

Dix minutes plus tard, il revient. Il donne à Milo une petite tige métallique de dix centimètres environ, un morceau de scotch et un briquet qui s'appelle reviens.

Milo le remercie. Mika lui explique que c'est tout ce qu'il a pu obtenir avant de le laisser seul. D'un pas incertain, Milo recule vers la table pour finir de réparer le poste de radio. Slobodan rentre de la promenade à ce moment-là. Il s'assoit en face de Milo après avoir regardé toutes les pièces éparpillées sur la table de façon explicite, genre : *regarde ce qui va t'arriver si tu échoues*. Milo a bien compris le message.

Il entortille un bout du fil de fer autour du tournevis pour lui donner la forme d'un ressort. Il le récupère puis scotche l'autre extrémité, toujours droite, sur le bord du briquet. Ensuite, il fait chauffer le métal à l'aide de la flamme pendant un peu plus de vingt secondes avant de procéder à la soudure de la pièce défectueuse. Il attend quelques secondes que son travail refroidisse avant de tester la solidité du résultat.

Concentré sur sa tâche, il remonte les pièces une par une, jusqu'à refermer le capot arrière. Les doigts tremblant légèrement, il place les piles dans leur compartiment. Il tourne le bouton et un grésillement s'élève dans la pièce.

Slobodan croise son regard pendant que Milo cherche une station FM. Soudain, de la musique classique d'une pureté cristalline s'élève entre les quatre murs sinistres. Inquiet de la réaction de Slobodan, Milo fait mine de tourner la molette pour changer de radio. Le Serbe arrête son geste.

Figés par la douceur des notes, ils écoutent le morceau jusqu'à la fin. La voix du présentateur annonce qu'il s'agit d'une des mélodies de l'opus 4 de la compositrice Fanny Hensel-Mendelssohn jouée au piano par Rina Cellini.

Milo et Slobodan échangent un regard involontaire.

— Il y a des femmes compositrices ?

Slobodan se met à rire.

— Évidemment ! Pour toi dont la culture s'est arrêtée à Maître Gimms, ça doit faire un choc !

Milo sourit à son tour. Slobodan pose sa main sur son épaule.

— T'as fait du bon boulot.

— Merci.

Slobodan semble hésiter un instant avant de sortir une lettre de sous son matelas.

— Tu sais lire ?

Milo approuve.

— Tu pourrais…

Il lui tend l'enveloppe. Milo la prend.

— Je peux même t'aider à rédiger une réponse, si tu le souhaites.

Slobodan lui adresse un signe du menton pour qu'il lise le contenu du courrier. Il s'agit d'une lettre de sa femme qui lui parle de leur petite fille qui vient de faire ses premiers pas.

Slobodan reste silencieux, les yeux humides rivés sur le mur derrière Milo qui n'ose plus bouger.

— Si tu t'occupes de mon courrier, qu'est-ce que tu veux en échange ? demande-t-il soudain.

Milo retient son souffle.

— Ta protection…

Slobodan hoche la tête.

Alexandra est déjà assise sur une chaise de son côté du box quand Milo entre dans le parloir. Il avance d'une démarche alerte. Elle pousse un soupir de soulagement.

Dès qu'il s'assoit, elle le noie sous les questions.

— Comment vas-tu ? Benjamin Valmont m'a dit que tu avais été transféré dans une cellule commune. Ils ne t'ont rien fait ?

Il lève les mains avec un petit sourire.

— Laisse-moi le temps de te répondre, m'man.

Elle referme la bouche.

— Je suis bien tombé, admet-il. J'ai rendu un service à un de mes codétenus. C'est une brute que beaucoup de gens craignent ici, mais il m'a pris sous sa protection.

Elle lui lance un regard horrifié. Il se sent obligé de préciser sa pensée.

— Il ne m'a pas fait de mal et il empêche les autres de m'en faire.

Milo n'en revient pas de sa chance. Slobodan l'a présenté à quelques potes. Il vend ses services d'électricien aux plus offrants. Pour le moment, ses prestations lui permettent d'être en relative sécurité. Il n'en demande pas plus.

À cette nouvelle, Alexandra se liquéfie sous l'effet du soulagement.

— J'ai eu si peur pour toi.

Milo remarque son visage blême, mangé par des cernes d'un mauve profond.

— Je suis tellement désolé, m'man, dit-il en détaillant son air dévasté. J'aurais dû t'écouter et rester à la maison ce soir-là. Rien de tout ça ne se serait passé. Je n'arrête pas d'y penser.

Elle rejette sa remarque d'un signe de tête.

— Je me fais du souci pour toi, bien sûr, mais il n'y a pas que ça.

Elle prend une brève inspiration.

— Franck et moi, c'est terminé.

Milo serre les dents. Il peut difficilement prétendre que la nouvelle le chagrine. Il ressent juste de la peine pour sa mère, car elle se retrouve seule au pire moment.

— Il est minable de t'abandonner à cause de moi, lâche-t-il du bout des lèvres.

Elle cligne des yeux pour retenir ses larmes.

— C'est moi qui l'ai jeté dehors. Mais, juste avant de partir, il m'a dit comment sont mortes ces filles…

Elle détourne la tête.

— Je veux… je veux te croire, Milo. Mais…, j'ai besoin de…

— De certitudes, termine-t-il sombrement.

Elle approuve.

— Je ne dors plus, Milo. C'est horrible, ce dont on t'accuse.

Il regarde autour de lui et se penche en avant.

— Comment ont-elles été tuées ?

Pendant toutes ces nuits où le sommeil peine à venir, Milo pense à Marion. Quand il se concentre, il a l'impression de se souvenir de quelques détails de la soirée fatidique où elle a disparu. Il se revoit en train de tanguer comme un ivrogne en se retenant aux réverbères pour ne pas tomber. Il se rappelle la moue plissée par la contrariété et le dégoût de Marion à travers une vitre. Celle de la porte de son immeuble ? Est-ce que ce sont de vraies réminiscences ou son imagination qui lui joue des tours ?

— Ils disent que tu leur as broyé le crâne avec une pierre.

Sorti brutalement de ses pensées, Milo recule sur son siège. C'est impossible, n'est-ce pas ? Même s'il ne peut jurer de rien pour Marion, il était relativement sobre avec Aurélie. Il ne pourrait pas oublier un truc pareil ! Et pourtant, les flics prétendent avoir des preuves contre lui. Il se prend la tête entre les mains. Il ne comprend rien !

Il lève un regard éperdu vers sa mère.

— Ça ne peut pas être moi, murmure-t-il d'une voix faible.

Que signifie cette réponse ? Elle regarde son visage viril bouleversé, si semblable à celui de Victor, qui pouvait manifester des émotions qu'il ne ressentait pas vraiment : vous convaincre que vous étiez tout pour lui alors qu'il sautait tout ce qui bougeait, et qu'il était prêt à renoncer à sa vie d'avant pour vous alors qu'il avait recommencé à braquer des bijouteries. Milo a-t-il hérité de cette faculté ?

— Franck m'a dit qu'ils savent que j'ai menti pour te fournir un alibi le soir de la disparition de Marion.

Milo retient son souffle.

— Qu'est-ce que tu risques ?

— Faux témoignage, complicité de meurtres.

Milo est atterré.

— S'ils insistent, dis-leur la vérité. Ne te mets pas en danger pour moi.

— Non ! Tu ne comprends pas que ça serait pire ? Ils ne peuvent pas le prouver, pas plus maintenant que la première fois.

— Jure-moi que si l'étau se resserre, tu penseras à toi, exige-t-il.

Elle tend les doigts vers lui, jusqu'à le frôler.

— Je t'aime, Milo.

— Je t'aime, m'man.

Quand la cloche retentit pour signaler la fin des visites, Léo Salomone se lève. Il adresse un signe distant à son trou du cul d'avocat. Le type retire ses lunettes pour essuyer ses verres couverts de buée sur sa cravate avant de ranger ses dossiers dans sa mallette. Ses gestes nerveux font trembloter son double menton.

Léo ressent un élan de haine viscérale envers lui. Il a envie de le planter, de l'entendre couiner comme un goret et de voir ce tas de merde ramper devant lui en laissant une traînée de sang dans son sillage. Son regard se durcit et, comme s'il saisissait implicitement la menace, son avocat se lève et décampe aussi vite que ses jambes grassouillettes le lui permettent.

On est loin de Florent Courrège avec ce crétin. Malheureusement, quand Léo est tombé, il a perdu le droit de bénéficier des services de l'avocat de l'organisation. Cette pensée le contrarie, comme à chaque fois qu'il s'apesantit sur son passé.

Dépité, son regard balaie la salle des visites. Avec un soupçon d'envie, il observe les prisonniers et leurs familles. Il n'a jamais éprouvé de besoin similaire, sa façon de vivre constituait un obstacle majeur à ce concept de toute manière, son organisation criminelle lui semblait plus importante que la notion de famille. La chute a été rude.

Soudain, il tilte sur le visage d'une femme dans la petite cinquantaine. Sa silhouette fine, ses cheveux blonds frisottés remontés en chignon par une pince lui rappellent vaguement quelqu'un. Elle se détourne avec une moue attristée qu'elle tente de cacher à celui à qui elle vient de rendre visite. Malgré les cernes et les rides charmantes que l'âge et les soucis lui ont donnés, Léo la reconnaît. C'est la poule de Victor, celle pour qui il était prêt à tout arrêter !

Qu'est-ce qu'elle fout là ?

Léo lorgne en direction du prisonnier qui est resté immobile pour la regarder partir. Son cœur manque un battement. Putain, c'est Victor !

Les épaules basses, il se lève et suit le maton qui le ramène en cellule.

Léo se secoue. C'est impossible ! Il manque à ce type des dizaines d'années, sans compter que Victor est mort il y a plus de six ans. Léo devrait pourtant le savoir puisque c'est lui qui a donné l'ordre de le faire exécuter.

Il a dû prendre cette décision parce que Victor s'apprêtait à trahir leur boss. Il avait fait des démarches pour rencontrer un juge. Un informateur au sein des services judiciaires les avait prévenus qu'il avait l'intention de dénoncer Anton Pavelitch et d'aider la police à faire tomber son groupe en échange d'une remise de peine. L'enfoiré !

Pourtant, avant de mourir, il avait fait assez de dégâts pour que la machine judiciaire cherche et trouve une faille. C'est à cause de lui que Léo a été arrêté et a porté le chapeau pour tous les autres. Dans le meilleur des cas, il sortira de prison dans vingt ans ! Putain, vingt ans !

Anton n'a jamais fait dans la dentelle ni dans le sentimentalisme. Il a sacrifié Léo, son dévoué second, sans une seule hésitation, pour préserver sa propre sécurité.

À cause de cet enfoiré de Victor, Léo a servi de fusible ! Il a tout perdu : sa vie de rêve, sa liberté, son rang, son fric, sa villa en bord de mer, ses putes, sa Jaguar, son statut…

Victor a payé son audace de sa vie, mais le plus grand regret de Léo est de n'avoir pas pu se venger par lui-même. Et le temps passé ici, le désœuvrement et la haine n'ont fait qu'accentuer cette obsession.

Or le destin lui offre une seconde chance sur un plateau. Parce qu'il ne lui a fallu que deux secondes de réflexion pour établir l'identité de ce gosse. Il s'agit de Milo, le gamin de Victor.

Léo se frotte les mains. Il a de nouveau un but.

— Salomone, on y va !

Léo jette un coup d'œil au gardien venu l'escorter. Pour une fois, il ne fait pas d'histoires quand il le suit.

Dès qu'il est de retour dans sa cellule, Léo commence à activer son réseau pour en apprendre plus sur le fils Léman. Les nouvelles arrivent vite, car son nom passe en boucle à la télé. Il est accusé de deux meurtres, des jeunes filles qui n'ont pas voulu de lui. Léo se dit qu'il va rendre un sacré service à la société en la débarrassant de lui.

Comme à la belle époque, sa vie se met à tourner autour de son objectif. Il change son heure de promenade pour pouvoir l'observer à loisir.

Dès sa seconde sortie, pourtant, il déchante. À défaut d'être un caïd doté d'un réseau efficace, Milo est débrouillard. Il a réussi à gagner la confiance d'un Serbe déjanté condamné à perpète pour le massacre d'une bande de dealers et de deux flics des mœurs. Ce gars est craint et respecté. On lui attribue plusieurs morts suspectes ici même.

Si ce type constitue un sérieux obstacle pour Léo, pour autant, ce dernier a tout son temps… Il trouvera bien un moyen d'isoler Milo de son protecteur.

Léo a de la ressource et de l'imagination.

Bientôt, il aura sa vengeance. Très bientôt.

Slobodan se lève en grognant quand la porte de la cellule s'ouvre avec un grincement sonore.

— C'est l'heure de la promenade ! annonce le gardien.

— On y va, Milo.

Milo s'est habitué à obéir sans rechigner. Si sa mère le voyait ! Elle n'en reviendrait pas de sa docilité.

Pour le moment, l'association avec le Serbe lui est profitable. Il se sent souvent comme un objet qui passe de main en main, mais vu que ces mains se tiennent tranquilles, il se la boucle et fait tout ce qu'on lui demande. Même si certains regards qui se posent sur lui sont toujours menaçants ou envieux, la présence du géant à ses côtés le rend intouchable. Slobodan a tenu parole et en échange Milo ne fait pas de vagues.

Il reste dans son sillage, trois pas en retrait, les yeux baissés. À se demander où est passé le mec qui se la pétait sur la place du RER ! Si ses copains le voyaient…

Ils avancent dans les coursives, au milieu du flot des détenus qui se rendent dans la cour.

Slobodan le précède à l'extérieur. Milo observe les alentours. Quelques détenus discutent entre eux. D'autres marchent ou courent pour passer le temps. Certains, à l'écart, les observent avec des visages fermés.

— Reste là !

Slobodan s'éloigne pour aller discuter avec un type à la mine patibulaire.

Milo ne reste pas souvent seul et surtout pas quand ils sont à l'extérieur. Il ne sait pas trop quoi faire. Planté là, comme un idiot, il visualise l'image d'un york que son maître attache à l'entrée du supermarché le temps de faire ses courses. Il s'assoit donc contre un mur, préférant rester dans son coin plutôt que de risquer de commettre un impair.

Un mec comme lui, surprotégé par sa mère, il faut bien l'admettre, n'aurait jamais pu appréhender les réseaux et les luttes d'influence qui règnent dans un lieu comme celui-ci sans une intervention extérieure. Les rapports y sont corrompus, faussés, intéressés. C'est comme si tout ce qu'il y a de mauvais en l'homme était démultiplié, exacerbé et toléré par certains gardiens avides de toucher leur part du gâteau ou ceux qui ferment simplement les yeux pour ne pas s'attirer d'ennuis.

Milo se détend légèrement après avoir vérifié où se trouve Slobodan.

La tête contre le mur, il laisse son esprit dériver vers les images qui le hantent par vagues. Il ne sait toujours pas dire si ce sont des souvenirs réels ou si à force d'entendre les horreurs dont on l'accuse il a fini par s'imaginer des choses. Il ferme les yeux et le film reprend, toujours au même moment.

Il titube dans la rue en se retenant comme il peut aux façades. Sa tête tourne, il a envie de vomir. Il est déchiré, bourré comme il ne l'a jamais été. Une main se pose sur son épaule.

— Vas-y, lui ordonne-t-on.

Il se met alors à hurler des insanités.

— Sale pute ! Tu vas payer ! Je te hais !

Nouveau blanc.

Le fil de ses souvenirs reprend. Il aperçoit une porte en train de se refermer pendant qu'il est plié en deux, le cœur au bord des lèvres.

— Qu'est-ce que tu fous ? Arrête ça tout de suite ! Tu n'es pas raisonnable, Milo !

Il entend des gémissements. Il entrevoit un regard terrifié.

Marion…

Puis le noir total obscurcit sa vision.

Il cligne des yeux pour revenir à la réalité.

— Salut, Milo.

Il tourne la tête vers un homme brun qui se tient près de lui et lui lance un regard froid.

— On se connaît ? demande-t-il en se redressant, bien conscient du danger immédiat.

— Bien plus que tu ne le penses, murmure le gars.

— Qui êtes-vous ?

Il voit le sourire glaçant de l'autre.

— Slobodan…, tente-t-il en indiquant l'endroit où se trouve son protecteur.

— Il a ses propres problèmes à régler. Je crains qu'il ne puisse rien pour toi pour le moment.

Il se tourne pour montrer la scène à Milo. Un groupe de cinq prisonniers est en train d'encercler le Serbe.

— Qu'est-ce…

— C'est la fin, Milo.

— La fin de quoi ? De quoi vous parlez ? s'emporte Milo.

— Ton père m'en devait une et c'est toi qui vas régler l'addition.

Slobodan repousse un mec qui va s'écraser un peu plus loin.

— Dégage ! l'entendent-ils crier.

Un de ceux qui l'encerclent s'avance et lance son poing en avant. Un jet de sang arrose le sol. Slobodan pousse un cri et chancelle.

Milo sort de sa torpeur, mais le brun attrape son épaule dans une étreinte douloureuse.

— Chut… Ne bouge pas. Apprécie le spectacle.

Les quatre autres types se jettent sur Slobodan. Pris par surprise, blessé, il s'engage dans une lutte inégale et désespérée contre ses agresseurs. Les coups pleuvent à une vitesse hallucinante.

Le géant parvient à prendre brièvement le dessus. Il lève la tête et aperçoit Milo, immobilisé par Léo.

— Milo !

Milo se dégage de la prise et se dirige vers la mêlée en courant. Soudain, un choc terrible derrière la tête le fait tomber à genoux. Sonné, il a l'impression que son crâne est fendu en deux et que ses membres ne répondent plus.

Son regard se pose sur le visage du type flippant qui a manifestement orchestré tout ce merdier et qui le contourne d'un pas nonchalant.

— Regarde ce qui arrive aux gens qui me contrarient.

Léo attrape une poignée de cheveux de Milo pour l'obliger à regarder un cinquième détenu se jeter sur

Slobodan qui a baissé sa garde pour venir au secours du jeune homme. Le Serbe hurle de douleur plusieurs fois. Milo comprend qu'il est en train de se faire poignarder avec un objet « made in Fleury », un truc artisanal pointu spécialement créé pour faire un maximum de dégâts.

Quand il est sûr que Slobodan est hors jeu, Léo repousse Milo pour le faire tomber. Plusieurs gars arrivent en renforts.

Une pluie de coups de pied s'abat alors sur lui. Le souffle coupé, Milo se recroqueville pour protéger son visage. Il ne comprend pas ce qui motive une attaque de cette envergure. Il n'a rien fait de plus ou de moins que d'habitude, il n'a eu de conflit avec personne, pourtant, il lui semble que cette opération lui est destinée, à lui et à personne d'autre. Milo se dit qu'il s'agit d'une simple leçon, malheureusement, ça ne s'arrête pas et personne ne vient à son aide. Il se souvient alors des paroles du brun : il est en train de payer une dette de son père.

Il a l'impression d'être un vulgaire ballon pour la meute qui hurle de joie au son de ses cris inarticulés et des craquements sonores de ses côtes qui lâchent une par une. Il tressaute et rebondit à chaque impact. La douleur enfle, il sent le goût du sang dans sa bouche. Un coup plus violent que les autres dans l'estomac le fait se plier en deux. Son corps se rebelle violemment et il vomit du sang. Milo a tellement mal que les coups suivants ne le font même plus réagir. Il a évité le pire pendant quelques semaines et il regrette presque d'avoir temporisé. Ses yeux se ferment.

Assise dans le RER, bien loin des considérations des autres passagers, l'esprit d'Alexandra se heurte toujours au même écueil. Comment faire sortir Milo de prison ?

Pourtant, depuis sa dernière visite, une autre question a fait surface. Doit-elle aider son fils tout en sachant qu'il lui cache des choses ? Elle se mord l'intérieur de la joue sous l'effet de l'angoisse.

Elle n'est pas stupide. Elle a bien vu son hésitation et son regard fuyant. Milo n'est pas aussi innocent qu'il le prétend, et cette incertitude la rend folle.

Elle l'a mis au monde, elle l'a vu grandir, elle a supporté toutes ses frasques, l'a défendu même dans les pires moments, et aujourd'hui il est accusé d'avoir écrasé la tête de deux jeunes femmes avec une pierre. Un frisson la secoue tout entière alors que des visions d'horreur s'imposent à elle.

Si elle l'aide et qu'il est coupable, que se passera-t-il si une fois dehors il recommence à tuer ? À cette pensée, son cerveau n'est pas loin d'atteindre la surchauffe. L'angoisse lui vrille le corps, broie ses pensées dans un étau de terreur à l'état brut.

S'il n'y avait que ça, elle parviendrait à gérer…

Milo est mêlé aux autres détenus depuis presque trois semaines. Et la justice n'a toujours pas fixé la date de son procès. Elle a l'impression que cette attente et les dangers permanents que Milo doit affronter dans ce milieu hostile vont achever de la détruire.

Le RER s'arrête à la gare de Lomigny-sur-Antelle. Alexandra suit le flot des voyageurs. Elle marche à l'écart de la foule sur le quai quand son téléphone se met à sonner. Elle décroche avec fébrilité.

— Madame Léman ?

— Oui ? répond-elle d'une voix éteinte en reconnaissant la voix de son interlocuteur.

— Benjamin Valmont à l'appareil. J'ai peur d'avoir une mauvaise nouvelle à vous annoncer.

Alexandra se fige. Elle revoit les policiers dans son salon, leurs mines de circonstance pour lui annoncer la mort de son époux. Son cœur manque un battement.

— Il est…

— Vivant, la rassure-t-il. Mais il a été admis à l'hôpital, dans un état grave. Il a une commotion cérébrale, plusieurs côtes cassées, la rate éclatée et une hémorragie interne.

— Non ! Non ! Que s'est-il passé ? gémit-elle, la main sur la bouche.

— Un de ses codétenus et lui ont été pris à partie et passés à tabac par une bande rivale semble-t-il. Slobodan Mariinsk n'a pas eu autant de chance que votre fils. Il est mort.

Elle accuse le choc.

— Mort ?

— Oui. La scène a duré quelques minutes tout au plus et les coupables se sont volatilisés avant l'arrivée des gardiens. Il s'agissait d'une attaque coordonnée et planifiée, on ne leur a pas laissé une seule chance, indique l'avocat.

— Ça veut dire quoi ?

— Que Milo s'est fait de sérieux ennemis. C'était lui la cible de l'attaque…

L'esprit d'Alexandra est vide. Le désespoir a tout emporté sur son passage.

— Madame Léman ? Vous êtes toujours en ligne ?

— Dans quel hôpital se trouve-t-il ? souffle-t-elle.

Il soupire.

— Je sais ce que vous voulez faire, mais votre fils est accusé de meurtres en série, raison pour laquelle vous ne pouvez pas aller lui rendre visite lors de son séjour à l'hôpital.

— Je… Comment peuvent-ils me l'interdire ?

— Ils le peuvent. Soyez raisonnable, madame Léman.

Elle ne retient ses larmes qu'à grand-peine.

— Que va-t-il se passer maintenant ?

Il hésite avant de se décider à lui avouer la vérité.

— Dès qu'il ira mieux, Milo sera renvoyé en prison.

Le cœur d'Alexandra dérape.

— Slobodan le protégeait ! Le renvoyer en prison sans lui, c'est comme si la justice le condamnait à mort. Vous avez dit vous-même qu'il s'est fait des ennemis puissants qui n'attendent sans doute que son retour pour finir le travail !

Le silence de l'avocat à l'autre bout du fil est édifiant.

Dire qu'Alexandra pensait avoir une expérience intense de l'angoisse ! Elle se rend compte que, jusqu'à présent, elle n'avait fait qu'effleurer le sujet.

Son fils va mourir si elle ne trouve pas une solution.

DÉSOLATION
2019

Allongée sur son lit, Alexandra repasse son plan dans sa tête une dernière fois.

Milo est suspecté d'être un tueur en série, d'après son avocat. Cette information, qu'elle avait inconsciemment occultée, est pourtant cruciale. D'un seul coup, le brouillard dans lequel elle errait s'est éclairci.

C'est évident, si simple en fait.

Si un crime identique à ceux dont est accusé Milo se produit quand il est en prison, ils seront bien obligés d'admettre qu'il n'y est pour rien et de le libérer, non ?

Depuis que cette certitude s'est implantée en elle, Alexandra a évacué toutes les idées parasites, comme la morale ou l'interdit, pour se concentrer sur celle-ci.

Une jeune fille doit mourir.

Mais pas n'importe quelle jeune fille…

Pour convaincre les enquêteurs de l'aspect sériel de ce troisième meurtre, Alexandra va devoir respecter un certain nombre de critères physiques. Elle a vu les photos de Marion Nobel et Aurélie Janin. Elles avaient toutes les deux une vingtaine d'années au moment de leur mort. Elles étaient blondes, jolies et bien foutues.

D'après ce que sait Alexandra, elles ont, toutes les deux, été tuées au milieu de la nuit, aux environs de la gare RER.

Voilà pour le cahier des charges.

En tant que maître d'œuvre, elle a aussi dû réfléchir aux moyens d'agir.

Elle a songé un instant à guetter toutes les jeunes filles sortant tardivement du RER, avant de réaliser que compter sur le hasard ne pouvait que desservir son fils. D'une part, Alexandra risque de ne jamais tomber sur la perle rare cumulant aspect physique et horaire, et, d'autre part, d'être repérée si elle traîne trop souvent dans le coin.

En regardant un reportage sur Facebook à la télé, Alexandra a cru entrevoir une solution pour trouver sa cible. Le journaliste démontrait que les gens y exposent leur vie en détail. Prête à se jeter sur son ordinateur, elle a soudain réalisé que toute connexion sur Internet laisse des traces. Et que ces traces pouvaient conduire la police jusqu'à sa porte.

Ça serait con de faire libérer Milo pour se retrouver en prison à sa place ! Quoique, elle préfère encore elle que lui.

Ensuite, elle est revenue sur l'idée de s'attaquer à une inconnue totale, avant de la rejeter une nouvelle fois. Marion et Aurélie avaient des liens avec Milo. Si elle veut que tout colle, elle doit être très exigeante.

Son plan avait failli s'arrêter là.

Et soudain, alors qu'elle n'y croyait plus, elle a aperçu la fille de ses voisins sortir de chez eux.

Élodie était dans la même école que Milo à la maternelle et en primaire. Elle est blonde, même si c'est un choix très récent, et elle travaille dans un restaurant, ce qui la fait souvent rentrer très tard le soir.

Quand elle était gosse, elle faisait partie de ceux qui harcelaient Milo et rendaient sa vie misérable. Sa mère lui était d'ailleurs tombée dessus à la sortie de l'école, un jour.

Ces souvenirs, c'est pour le folklore, elle le sait. Rien ne justifie ce qu'Alexandra s'apprête à faire subir à ses voisins. Ses projets sont ignobles, et en même temps, avoir leur chagrin sous le nez constituera un juste châtiment pour elle qui s'apprête à commettre l'irréparable. Que ce soit par amour ou non n'y changera rien.

Elle a essayé de se creuser la tête, de trouver une alternative légale, mais à chaque fois elle est revenue à son point de départ. Ça fait dix jours qu'elle s'épuise ainsi, dix jours que son fils se remet lentement de ses blessures, sans qu'elle puisse lui rendre visite. Dix jours qui le rapprochent, pas à pas, de sa sortie de l'hôpital, de son retour à Fleury et par conséquent de la mort.

Dorénavant, elle ne peut plus reculer. Ce soir, c'est donc le grand soir. Alexandra se redresse.

Elle attache ses cheveux avec un élastique et les cache sous une charlotte en plastique puis un bonnet. Dans son placard, elle choisit des vêtements de Franck. Il n'est pas encore venu les chercher, autant que ça serve.

Elle enfile les fringues les plus neutres et les plus communes possible : un jean noir, un sweat gris anthracite sans inscription, des gants et des baskets qu'elle bourre de papier journal. La capuche rabattue sur son visage et son sac à dos rempli d'habits de rechange, elle s'estime prête.

Elle se glisse hors de chez elle par une fenêtre et se faufile dans l'ombre des façades de plusieurs maisons du lotissement. Elle emprunte une route qui longe l'A6. Sans éclairage, cette voie mène à Grand Bourg, une cité coincée entre le centre-ville et l'autoroute. Ensuite, elle n'a plus qu'à suivre le chemin des écoliers qui borde l'Antelle jusqu'à la zone de la gare. Là, les caméras sont sûrement plus nombreuses et elle ne pourra pas échapper à leur vigilance. Tête baissée et enfoncée au fond de sa capuche, une écharpe nouée autour du bas de son visage, elle revoit une dernière fois son plan.

Élodie rentre par le RER de 23 h 42. Elle est réglée comme un métronome, Alexandra s'en est assurée en surveillant son retour plusieurs soirs de suite. Elle a prévu de se placer sur son trajet habituel, à proximité de la gare.

Alors qu'elle avance d'un bon pas, son esprit se rebelle contre ce qu'elle a prévu. Elle se met à trembler, horrifiée soudain d'avoir envisagé quelque chose d'aussi terrible. Elle n'y arrivera pas. C'est impossible.

Elle ralentit. Son assurance fond comme neige au soleil. Sa respiration s'emballe.

Pourtant, malgré ses nerfs qui menacent de la trahir, elle se penche au-dessus d'un muret dont elle arrache une pierre anguleuse aux arêtes tranchantes. Elle se répète en boucle que Milo a besoin d'elle. Et cette idée chasse toutes les autres.

Elle reprend son chemin en respirant par à-coups. Milo vaut tous les sacrifices. Il avait tous les atouts pour que sa vie soit normale, pourtant tout a dérapé. Sans les promesses non tenues de son bandit de père, sans l'école qui a achevé de le briser et d'en faire un paria, il serait un jeune homme comme tous les autres. Leurs existences seraient simples. Elle se saignerait aux quatre veines pour lui payer une grande école et non pas ses frais d'avocat. Il aurait une petite amie, il viendrait lui rendre visite le week-end pour lui parler de ses études passionnantes. Il aurait une voiture, des amis qui ne seraient pas des marginaux. Il serait joyeux et libre d'aller et venir à sa guise.

Elle soupire. Puisque la vie ne lui a pas laissé le choix, elle ne se défilera pas.

Elle est arrivée à destination. Elle observe les alentours. À cet endroit, les habitations sont éloignées. Les fenêtres qu'elle aperçoit entre les branches des arbres ne sont pas éclairées.

Elle se glisse dans l'ombre du muret qui délimite les escaliers du gymnase Marie-José-Pérec. Il est 23 h 37. Alexandra prend une grande inspiration et s'assoit.

Les cinq minutes suivantes sont quasiment les plus longues de sa vie. Le silence qui règne en semaine dans leur petite bourgade de banlieue lui crève les tympans.

Au loin, le RER ralentit et s'arrête. Le cœur d'Alexandra lui martèle les côtes. Elle assure sa prise sur la pierre qu'elle a récupérée et se prépare.

Bientôt, elle entend des pas qui se dirigent vers elle. Elle se redresse légèrement.

C'est elle ! Élodie avance les yeux rivés au sol, le casque de son MP3 sur les oreilles. Alexandra observe la rue vide par ailleurs.

Dès qu'Élodie la dépasse, Alexandra surgit de sa cachette. Elle attrape la jeune fille par le cou et lui frappe violemment la tempe. Élodie s'effondre, sonnée.

Alexandra la tire dans le renfoncement des escaliers, à l'abri des regards d'éventuels passants. Elle se penche au-dessus d'elle et respire profondément. Elle fait cela pour sauver son fils. Uniquement.

— Je suis désolée, murmure-t-elle.

Elle lève la pierre et l'abat sur le visage de la gosse qu'elle a vue grandir. Elle voudrait fermer les yeux pour ne pas voir sa peau se déchirer comme du papier, mais elle s'y refuse. Ce qu'elle fait la hantera toute sa vie, mais c'est sa juste peine pour l'acte ignoble qu'elle est en train de commettre.

Alexandra recommence. La pommette d'Élodie éclate sous l'impact. Elle frappe encore et encore : arcade sourcilière, lèvres, nez, dents, front, tempe… Seul le résultat importe à présent. Les nombreux coups, les os mis à nu et fracturés, les bruits écœurants n'importent que parce qu'il faut que ce meurtre ressemble à ceux des deux autres filles.

Enfin, Élodie ne bouge plus. Elle ne respire plus.

Alexandra se redresse en tremblant sous l'afflux d'adrénaline. Elle regarde sa montre. Sept minutes se sont écoulées. Sa tête tourne, son estomac menace de la trahir et ses jambes flageolent.

Par un effort de volonté surhumain, Alexandra se faufile dans la nuit en empruntant un chemin tout aussi compliqué qu'à l'aller, privilégiant les rives de l'Antelle bordées d'arbres et la zone boisée derrière Grand Bourg, là où il n'y a probablement pas de caméras. Avant d'émerger du sentier, elle se glisse près de l'eau.

Elle se débarrasse de la pierre en la jetant au milieu du courant, puis elle retire ses gants pour se laver les mains dans l'onde glacée. Elle s'asperge le visage en se demandant si elle ne vient pas de faire un mauvais rêve. Un cauchemar qui la hantera jusqu'à la fin de ses jours…

En soupirant, elle se redresse péniblement. Ses forces s'amenuisent. Elle rêve de prendre une douche et de se mettre au lit. Au lieu de ça, elle se cache dans des fourrés pour se changer. Elle enfile un legging et une longue tunique. Sa silhouette n'a plus rien à voir avec celle que le jean de Franck pouvait lui donner. Cachée sous une perruque brune et une casquette, elle attend d'entendre un train arriver pour émerger du chemin.

Elle a prévu de rejoindre la gare de Ballantelle et de se mêler au flux des derniers usagers du RER pour disparaître. Quand quatre passagers s'engagent dans les rues désertes, elle se glisse dans leur sillage.

Elle se trouve à moins d'une demi-heure de marche de chez elle à présent. Elle s'encourage à tenir bon. Elle a fait le plus dur. Elle doit réussir pour Milo. Elle a fait tout ça pour qu'il sorte de prison, et ce jour-là, elle devra se trouver à ses côtés. Elle ravale la bile qui envahit sa bouche.

Sa culpabilité enfle comme la vague d'un tsunami alors que ce qu'elle vient de faire lui revient sous forme de flashes atroces et déroutants. Alexandra tente de museler ses pensées avant de se laisser engloutir par ses émotions.

Milo a besoin d'elle. Elle murmure son mantra en boucle. À nouveau, il l'aide à reprendre le contrôle de ses nerfs.

Le puits d'acide qui a élu domicile dans son âme bouillonne d'allégresse et devient de plus en plus prégnant. Mentalement, elle jette le cadavre d'Élodie dans le liquide corrosif et elle referme ce compartiment cérébral aussi vite qu'elle le peut. Plus question de le rouvrir dorénavant. Ça devra tenir bon.

Elle vit dans la terreur et l'angoisse depuis si longtemps que ce petit ajout ne fera pas une grande différence. N'est-ce pas ?

Alexandra se faufile chez Franck. Il a laissé beaucoup de choses chez elle, comme son planning et ses clefs. Elle sait donc qu'il sera absent pour la nuit.

Au cas où les policiers se décideraient à fouiller sa maison, elle ne doit leur offrir aucune piste : pas de traces de sang dans les canalisations ni dans les sanitaires, pas de résidus portant l'ADN d'Élodie...

Elle a donc choisi d'utiliser la douche et l'électroménager de Franck pour tout nettoyer. Elle place les vêtements imbibés de sang, les baskets, les gants, l'écharpe, le bonnet, le sac à dos ainsi que les autres habits de rechange dans la machine à laver de son ex avec un soupçon d'eau de Javel, du détachant surpuissant et du sel. Elle regarde sa montre. Le timing va être serré, mais c'est parti ! Dès que la machine signale la fin du cycle, elle transvase le tout dans le sèche-linge.

Quand tout est sec, elle rentre chez elle tout aussi discrètement malgré ses bras chargés.

Avec des gestes décidés, elle ouvre la porte de l'armoire utilisée par Franck et attrape au vol ses jeans, ses chemises et ses vestes. Elle vide chaque tiroir de sa commode pour transférer toutes ses fringues dans des sacs-poubelle. Elle scotche le tout.

Les vêtements qu'elle portait hier soir, à présent nettoyés, sont disséminés au milieu des autres fringues.

Un par un, elle va ensuite déposer les sacs sur le pas de la porte de la maison de Franck. Elle fait une dizaine d'allers-retours, sans se cacher cette fois.

Alexandra en est venue à penser que la meilleure solution pour faire disparaître les preuves contre elle est encore d'agir en pleine lumière. Elle profite donc de leur rupture pour se débarrasser de tout ce qui pourrait l'incriminer.

Est-ce que Franck pourrait avoir l'idée de faire tester ses propres affaires et le tuyau d'évacuation de sa douche et de sa machine à laver ? Elle espère que non.

La tension et la fatigue liées à sa nuit blanche lui font monter les larmes aux yeux alors qu'elle dépose le dernier sac sur son perron. Elle se retourne en entendant des cris derrière elle.

— Alexandra ! Alexandra !

Franck arrive en courant avec un sourire incertain plaqué sur le visage. Il a mauvaise mine et ses traits sont tirés.

— Qu'est-ce que tu fais ?

— Je te rends tes affaires, lui indique-t-elle d'un geste sec.

Franck lance un coup d'œil surpris dans cette direction. Il la dévisage avec une expression incrédule plaquée sur les traits. Jusqu'à présent, leurs disputes se sont toujours soldées par des réconciliations rapides. Jamais elle n'a été jusqu'à le sortir aussi radicalement de sa vie.

— Tu n'es pas sérieuse !

— Bien au contraire.

Elle fait mine de s'éloigner, mais il la retient.

— Alexandra, je suis désolé. Tu entends ? Je ne voulais pas qu'il arrive du mal à Milo. Je te le jure !

Elle lance un regard mauvais vers ses doigts posés sur elle.

— Ne me touche pas !

Il recule d'un pas.

— J'ai été claire, me semble-t-il. Je ne peux pas vivre avec une personne comme toi ! Tu hais mon fils, tu as œuvré pour le faire arrêter, tout ça parce que tu es jaloux de lui !

— Alexandra ! Tu ne peux pas croire que je voulais qu'il se fasse agresser et qu'il se retrouve à l'hôpital !

— Tu es incapable d'accepter qu'il compte pour moi ! Tu voudrais que je n'aime que toi et que je t'appartienne si totalement que j'étouffe ! J'étouffe, tu entends ?

Comment Franck a-t-il pu se fourvoyer de la sorte ? Quand il l'a vue devant chez lui, il a cru qu'Alexandra le cherchait pour lui demander de revenir.

— À quoi tu joues, Alexandra ? Tu ne peux pas tout arrêter entre nous comme si mon avis ne comptait pas ! Je t'aime, moi ! Je peux changer pour toi ! Je peux…

Sa voix se brise. Comme d'habitude, il se retrouve à quémander pour récupérer les miettes d'affection qu'elle est prête à lui offrir. Sauf que cette fois, son visage reste fermé. La peur enfle en lui.

— Alexandra… je…

— C'est inutile, Franck. On se fait souffrir inutilement. Tu dois penser à toi maintenant, en choisissant une autre femme. Et moi, je dois m'occuper de mon fils. Nos chemins ne se croiseront plus jamais.

Franck s'écarte d'elle avec un regard de chien battu.

— C'est de la folie, Alexandra !

— Comme tu l'as dit, nous n'avons jamais été sur la même longueur d'onde. J'avais besoin de compagnie et de soutien, mais je ne t'ai jamais aimé. Je dois te le dire pour que tu puisses tourner la page.

Elle recule lentement avant de se détourner et de partir.

— Alexandra, souffle-t-il derrière elle.

Elle ne cède pas. Les mots qu'elle vient de prononcer lui ont déchiré le cœur. Une larme roule sur sa joue.

Chaque pas lui coûte énormément, mais elle entre chez elle et referme la porte. Ses jambes tremblent si violemment qu'elle s'effondre contre le mur. Elle se met à gémir de souffrance, la main sur la bouche pour retenir ses sanglots déchirants.

Comme elle aimerait garder Franck près d'elle ! Comme elle voudrait sentir ses bras autour d'elle à cet instant précis !

Mais une meurtrière n'a pas le droit à la paix et au réconfort. Elle ne mérite pas l'amour de cet homme. Et la souffrance de l'avoir perdu constitue également une juste punition pour ce qu'elle a commis.

Paul lève les yeux pour accueillir Francesco.

— Salut.

— Pourquoi tu avais l'air si…

Il n'a qu'un regard à poser sur le corps gisant en travers des marches qui mènent au gymnase Marie-José-Pérec pour comprendre toute l'étendue du problème.

— C'est quoi cette merde ?

Jean arrive à leur niveau et lui tend un portefeuille.

— Elle s'appelle Élodie Quernon. Elle avait dix-huit ans.

Francesco reste muet de stupeur. Il n'arrive pas à détacher les yeux du cadavre au visage ravagé par les coups.

— Je ne comprends pas, murmure-t-il pour lui-même.

Paul le contourne.

— Au cas où tu te poserais la question, Milo Léman n'a pas bougé de sa chambre d'hôpital. Cette fois, son alibi est indiscutable.

Francesco sursaute.

— Mais…

Il se secoue.

— Ça ne veut rien dire ! Milo a peut-être des complices… ou des gens prêts à… à tuer pour l'aider… il y a peut-être un copycat…

Paul fronce un sourcil.

— Si tu le dis…

Jean semble aussi abasourdi que lui.

— On fait quoi, maintenant ?

Francesco prend une brève inspiration, mais reste muet.

— La proc' ne va pas tarder. Dis-moi ce que je dois faire ! panique Jean.

— Cherche à savoir où étaient les potes de Milo hier soir, se lance Francesco.

Paul, qui a entendu son ordre, lui montre son téléphone portable.

— J'ai déjà vérifié. Ils ont été interpellés hier soir, vers vingt et une heures, à la demande d'un riverain excédé. Ils ont passé la nuit au commissariat.

Il hausse les épaules.

— Je ne vois personne d'autre dans son entourage amical qu'on pourrait accuser de complicité.

Jean réfléchit un instant.

— Tu crois à ton hypothèse de copycat ?

Il se passe les mains sur le visage.

— On n'a pas révélé à la presse qu'elles avaient été tuées avec des pierres, et pourtant…

Francesco sent qu'il est en train de les perdre tous les deux. Ils ne croient plus en lui.

Il est assez lucide pour admettre qu'il a focalisé sur Milo, et le corps de cette jeune fille est là pour prouver qu'il s'est planté.

Paul reprend la parole.

— Bon. On vient d'éliminer les complices et le copycat, il reste donc l'hypothèse d'une personne prête à tuer pour l'aider.

Francesco se tourne vers lui avec une expression surprise.

— Tu penses à qui ?

— Je pense à une personne qui éprouve un tel amour pour lui qu'elle ne reculera devant rien pour le faire libérer, une personne qui nous a déjà menti pour le protéger.

Jean enfonce ses mains dans ses poches.

— Alexandra Léman ?

Paul confirme.

— Alexandra Léman.

Les trois hommes se tiennent immobiles, non loin de la scène du crime, pendant que les équipes de la scientifique œuvrent autour du corps.

— Tu l'imagines capable de tuer quelqu'un de sang-froid ? demande Jean.

— Si c'est pas elle, ça veut dire qu'on a un tueur en série sur les bras et qu'on a foutu un innocent en taule. Tu préfères quelle version ?

— On fait quoi ? On dit quoi à la proc' ? cède Jean.

— Tu crois qu'elle nous suivra sur cette piste et qu'elle nous fournira une commission rogatoire pour perquisitionner le domicile d'Alexandra Léman ? demande Paul à un Francesco sonné et éteint.

— Elle comprendra qu'on est obligés d'écarter cette hypothèse avant de devoir trouver d'autres pistes.

— Pas de conneries, cette fois ! Faites les choses dans les règles !

— Oui, madame la procureure.

— Je vous envoie la commission rogatoire. Rendez-vous sur place avec une équipe de la scientifique et retournez le moindre grain de poussière dans cette maison.

Francesco raccroche et attend quelques instants avant de voir le mail s'afficher sur sa messagerie.

Il l'ouvre et le relit attentivement avant de l'imprimer.

— On y va ?

Paul secoue la tête.

— Alexandra Léman est au travail.

Francesco se fige avec incrédulité.

— Au…

— Travail. Si on veut qu'elle soit chez elle, il faut attendre son retour.

Francesco sent l'agacement l'envahir.

— Comment tu sais ça ?

— J'ai vérifié en passant un simple coup de fil.

— Pour quelqu'un qu'on suspecte d'avoir commis un meurtre, elle est surprenante ! constate Jean.

Si elle a vraiment tué quelqu'un par amour pour son fils, elle devrait être anéantie par la culpabilité et certainement pas capable de respecter sa routine quotidienne. Ou alors ils se sont totalement plantés à son sujet…

— Je viens de recevoir un mail. On peut visionner les vidéos de surveillance autour du lieu du meurtre d'Élodie Quernon, leur annonce Paul.

Si Francesco remarque que Paul prend beaucoup d'initiatives sans lui en parler ces derniers temps, il n'en laisse rien paraître. Il le suit dans le couloir.

Ils s'assoient tous en cercle pendant que l'ordinateur charge les données.

La caméra la plus proche du lieu du meurtre se trouve à deux cents mètres du gymnase. Selon les informations fournies par les parents d'Élodie Quernon, ils observent les images prises à partir de vingt-trois heures. Vers vingt-trois heures trente, quelques passants se dispersent dans les rues avoisinantes lors du passage du RER en provenance de Brétigny. Ils remarquent alors une silhouette sombre qui remonte la rue d'un pas vif et se glisse dans l'ombre des marches du gymnase. Impuissants, ils assistent ensuite à l'agression de la jeune Élodie que le tueur entraîne hors champ.

Quelques minutes plus tard, il revient dans l'angle de la caméra et redescend vers le RER. Son visage baissé est indiscernable.

Francesco entend le soupir découragé de Paul.

Ils suivent sa piste jusqu'à la promenade de l'Antelle.

— On a des caméras par là ?

Jean soupire.

— Aucune…

— Donc…

Paul se détourne de l'ordinateur.

— La promenade de l'Antelle s'étend sur près de quarante kilomètres… Il faudrait des renforts pour visionner toutes les images disponibles.

Les visages de Paul et Francesco indiquent clairement que l'entreprise a peu de chances d'aboutir.

Jean baisse la tête avant d'avoir un éclair de génie.

— S'il s'agit bien de celle à qui nous pensons, nous connaissons sa direction et l'endroit où elle a dû émerger. Il suffit de visionner les vidéos du secteur.

Paul donne des consignes précises au technicien. Ils se penchent sur l'écran avec espoir, sauf que la personne aperçue sur le lieu du crime d'Élodie Quernon ne refait pas surface.

Ils insistent encore quelques heures, élargissent la zone de recherche, s'usent les yeux sur les pixels. Sans succès.

Le tueur leur a échappé.

Paul soupire et regarde sa montre.

— Il va être l'heure de nous rendre chez Alexandra Léman.

Alexandra ouvre la porte d'entrée.

— Madame Léman ?

— Oui.

— Voici une commission rogatoire de la part de la procureure de la République, Hélène Dubreuil, qui nous autorise à fouiller votre maison.

Elle recule.

— Une commission rogatoire ? Pour quoi faire ? Mon fils est déjà en prison.

Le policier au nom italien s'engouffre dans la pièce, suivi de ses deux chiens de garde et de plusieurs techniciens en blouse.

— Nous devons vérifier certaines choses.

Est-ce qu'elle a laissé un indice compromettant qui leur a permis de remonter aussi rapidement sa piste ? Le cœur d'Alexandra s'emballe, mais elle ne laisse rien paraître. Paul la dévisage. Elle a l'air fatiguée et vidée. Comme une coupable le serait ?

— Vous avez très mauvaise mine, remarque Francesco au même moment.

Elle lui lance un regard agacé.

— Comment pourrais-je aller bien alors que mon fils, innocent, est en prison, que des brutes, qui resteront impunies, l'ont tabassé et envoyé à l'hôpital, que je n'ai pas le droit de lui rendre visite, et que dès qu'il remettra un pied à Fleury, ils vont le tuer ! Je ne l'aurai même pas revu !

Elle éclate en sanglots déchirants. Les techniciens lancent un regard vers Francesco, comme pour lui reprocher leur intrusion dans l'univers déjà dévasté de cette femme.

Paul l'invite d'un geste à venir s'asseoir. C'est vrai qu'Alexandra Léman a toutes les raisons d'aller mal, sans avoir besoin d'ajouter une culpabilité liée à un éventuel meurtre pour expliquer sa mine blafarde et ses cernes bleuâtres.

— Nous sommes là parce qu'une jeune fille vient d'être assassinée.

Alexandra relève la tête brutalement.

— Comment est-elle morte ?

Francesco ne perçoit encore une fois que l'attitude d'une mère qui se raccroche à tout ce qu'elle peut pour sauver son fils.

— Connaissez-vous une jeune fille qui s'appelle Élodie Quernon ?

Alexandra reste silencieuse un instant.

— C'est la fille de mes voisins. C'est elle qui a été tuée ?

— Milo la connaissait ?

— Oui. Ils étaient à l'école ensemble, avant le collège. Comme avec tous les gosses du voisinage au demeurant.

— Comment se comportait-elle avec lui ?

Alexandra fronce les sourcils.

— En quoi cela a un quelconque rapport avec mon fils ? Il est à l'hôpital en ce moment !

— Répondez, s'il vous plaît.

Elle se crispe.

— Élodie faisait partie des enfants qui n'étaient pas très gentils avec Milo. Vous allez le rendre responsable de sa mort aussi ?

Le policier baisse les yeux.

— Si vous êtes ici, c'est parce qu'elle a été assassinée de la même façon que les deux autres ? N'est-ce pas ? demande Alexandra en se redressant avec espoir.

Elle se tourne vers Paul en constatant le mutisme de Francesco.

— N'est-ce pas ?

— Oui, admet Paul.

— Comme Milo est à l'hôpital...

— Nous ne venons pas pour lui, madame Léman.

Alexandra referme la bouche. Douchée par cette réponse, son visage perd toutes ses couleurs.

— Pour qui alors ?

— Qu'avez-vous fait hier soir ?

— Vous voulez savoir si j'ai un alibi ? s'exclame-t-elle, outrée.

Il approuve.

— Vous êtes fous ! Après avoir emprisonné mon fils, vous voulez me faire porter le chapeau ! s'emporte-t-elle.

— Répondez, madame Léman.

— J'étais ici. Seule. Vous allez m'arrêter juste à cause de ça ?

Paul soupire.

— Nous devons vérifier vos vêtements, vos chaussures et vos sanitaires.

Elle se remet à pleurer.

— C'est un cauchemar !

Paul insiste.

— Vous devez être témoin de ce qui se passe pendant la fouille.

Elle prend une grande inspiration.

— Allez-y, faites votre boulot de merde !

Pendant que Paul reste près d'elle dans chaque pièce qu'ils visitent, les deux autres policiers et les techniciens inspectent les vêtements de Milo. Ils vérifient la pointure de ses chaussures à elle et celles de son fils, vu que le tueur a laissé une belle empreinte du talon de sa basket taille 42 dans le sang, pour un résultat nul : Milo fait du 44 et elle du 39.

Dans la salle de bains, ils vaporisent des produits dans la baignoire et dans le tambour de la machine à laver sans obtenir une seule réaction positive.

Ils passent une tige sous ses ongles.

— Merci pour votre coopération, madame Léman.

Les techniciens remballent leur matériel et sortent de la maison. Francesco les suit les épaules basses.

Paul s'attarde quelques instants supplémentaires.

— Où sont les affaires de Franck ?

Elle se crispe.

— Nous nous sommes séparés. Définitivement cette fois.

Paul a l'impression d'avoir passé les bornes. À cause d'eux, sa vie s'est effondrée.

— Je suis désolé. Pour tout…

Elle lui lance un regard mauvais.

— Vous n'avez fait que votre travail ! ironise-t-elle. Je suis heureuse de voir à quel point les impôts que je paye sont bien employés !

Il se rembrunit, mais sort sans un mot.

— Alors ?

Francesco s'assoit dans un fauteuil et lance un regard vide vers Hélène Dubreuil.

— Ne me dites pas que ça veut dire ce que je crois que ça veut dire ?

Il se passe une main sur la bouche.

— Heu…

Paul les rejoint à cet instant et même s'il tente de se faire discret, Hélène se tourne vers lui.

— Dites-moi que j'ai bien saisi ce qu'a dit le légiste.

Paul voudrait disparaître, mais il se doit de répondre.

— Cette gosse a été tuée avec une pierre aux arêtes tranchantes, comme les deux autres, admet-il avec une expression sombre. L'angle des coups est sensiblement identique. L'arme n'étant pas subtile, il confirme que ce crime pourrait être l'œuvre du même tueur.

Elle pousse un petit cri de fureur contrariée.

— Où en êtes-vous avec les indices relevés chez Mme Léman ?

Francesco secoue la tête.

— Il n'y a rien, soupire-t-il.

— Pardon ?

— Nous n'avons rien trouvé qui pourrait la relier au meurtre de la troisième jeune fille, répond Paul.

Hélène Dubreuil ne réagit pas immédiatement. Elle soupèse les informations à sa disposition. Deux meurtres imputés à Milo, un à sa mère. Sauf qu'Alexandra Léman ne peut être reliée à la troisième victime. La théorie fumeuse des trois policiers s'effondre d'elle-même, du coup.

Est-ce qu'une femme comme elle aurait l'énergie, la ressource et l'intelligence nécessaires pour commettre le meurtre parfait dans le but de les mettre en échec et de sauver son fils ?

Alexandra Léman est une simple secrétaire comptable, dont la carrière et le salaire plafonnent depuis des années. Instinctivement, Hélène Dubreuil pense que non.

Et si on considère qu'Alexandra Léman n'a rien à voir avec ce meurtre, cela induit qu'il existe un vrai coupable qui se promène en toute liberté. Un vrai coupable à qui auraient dû être vraisemblablement imputés les deux crimes précédents.

Le couperet s'abat sans prévenir.

— Vous avez établi la culpabilité de Milo Léman grâce à une foule d'indices, m'avez-vous certifié !

Pour eux, cette nouvelle est terrible, mais pour elle, qui a annoncé l'arrestation du meurtrier à la presse, c'est encore pire. Francesco tente de se justifier.

— Milo Léman connaissait les victimes, il est une des dernières personnes à les avoir vues, il…

Elle l'interrompt.

— Dites plutôt que vous lui avez fait payer son passé, à ce pauvre garçon ! Bordel de merde !

Surpris par son langage, Francesco referme la bouche.

— Vous vous rendez compte de la bourde que vous avez commise ? insiste-t-elle.

Francesco approuve avec une mine grave.

Il saisit le cheminement de pensée de la procureure. Elle en est venue à croire en l'innocence de Milo. Presque à son corps défendant, Francesco a fini par arriver lui aussi à cette conclusion.

Sauf qu'une fois qu'ils ont admis cela, qu'ils ont mis tous les indices disponibles sur la table et constaté qu'ils n'ont aucune autre piste, c'est la catastrophe. L'enquête est au point mort.

Francesco s'est contenté d'un faisceau de preuves étayant ses certitudes et il a conduit toute son équipe à l'échec. Dubreuil ne le pardonnera jamais.

Assis un peu plus loin, Jean tente de prendre sa défense.

— Je ne comprends pas, madame… Tous les indices conduisaient à Milo Léman.

Paul regarde le bout de ses chaussures pour ne pas voir la mine furieuse de la proc'. Dès le début, il a conseillé à son chef d'élargir sa façon de voir les choses, de ne pas se focaliser sur le jeune homme, mais il s'est fait rembarrer.

Et le résultat est là.

— Je vous rappelle que sa mère vous a confirmé dès le premier instant qu'il n'avait pas commis le premier meurtre ! s'emporte la magistrate.

— Avec un alibi bidon ! se défend mollement Francesco.

— Il aurait été bidon si vous l'aviez prouvé ! Malgré les projections de sang partout sur la deuxième scène de crime, vous n'en avez pas trouvé sur les vêtements de Milo, mais cela ne vous a toujours pas arrêtés !

— Tout le reliait à elle !

— Et vous pensez vraiment qu'après avoir tué Aurélie Janin, il aurait quitté la scène de crime d'un pas tranquille, comme le montre la vidéosurveillance ?

Cette fois, il s'abstient de répondre.

Elle se met à faire les cent pas devant lui. Elle a mis des années à atteindre un tel poste. Tant d'efforts, de concessions, de moments manqués avec son mari et ses enfants pour se trouver au bon endroit, au bon moment, et d'un seul coup, elle a l'impression de tomber en chute libre.

Elle s'est laissé convaincre que les écueils de l'affaire n'en étaient pas. Avec son passé de délinquant, Milo Léman représentait le coupable parfait. Elle a paradé devant les journalistes, vanté l'efficacité de ses équipes, et à présent elle va devoir reconnaître qu'ils se sont trompés. Pire, ils n'ont pas l'ombre d'une piste pour ce troisième meurtre, et par conséquent, pour les deux autres non plus…

Ils ont visionné les images des caméras de la ville sans succès. Le tueur, dont le visage est resté dans l'ombre, a profité des zones sans vidéosurveillance pour se volatiliser. Ils n'ont absolument rien sur lui hormis une empreinte de chaussure taille 42 imprimée dans le sang de la victime et des caractéristiques physiques qui pourraient correspondre à la moitié des hommes de la ville.

Une nouvelle flambée de colère la fait repartir à la charge.

— Vous avez occulté tout ce qui vous gênait pour arriver à la conclusion qui vous convenait.

— Mais vous avez validé toutes…

Elle lâche un glapissement furieux qui le fait taire.

— Je veux que Milo Léman soit libéré avant que son avocat n'en fasse la demande.

Elle lui jette un regard dégoûté.

— Je ne veux plus vous voir sur cette affaire ! Plus jamais !

Elle attrape son portable et appelle la PJ pour leur refiler définitivement les trois enquêtes.

— Le sergent Hirson connaît l'affaire. Il sera aux côtés de vos hommes, annonce-t-elle à son interlocuteur.

Paul se dit qu'elle ne lui fait pas un cadeau. Non vraiment pas !

Trois meurtres, aucun indice, rien que des fausses pistes…

Il s'éclipse en même temps qu'elle, alors que Francesco reste assis, les épaules basses, dans ce couloir sordide de la morgue.

— Il faut que tu comprennes ce qui va se passer quand tu vas mettre un pied hors d'ici, Milo.

Assise sur une chaise près de Milo, Alexandra observe Benjamin Valmont, l'avocat de son fils. Il est jeune, mais ses traits affirmés montrent qu'il ne s'en laisse pas compter. En costume sur mesure, il affiche ainsi une aisance et un rang social qui impressionnent Alexandra. Sa diction distinguée l'apaise. Et pour tout dire, elle est ravie qu'il prenne ainsi les choses en main.

— Que va-t-il se passer exactement ? demande Milo.

Son visage est encore marbré de jaune et de vert, là où il a pris des coups. Sa posture pas tout à fait droite montre qu'il souffre encore à cause de ses côtes cassées.

— Tu sais comme moi qu'en France il y a peu de tueurs en série avérés. Tu as pourtant été accusé de crimes sériels. Ce qui fait de toi une curiosité nationale. Les journalistes vont donc se presser aux portes de l'hôpital. Ils vont te poser des questions pièges, te suivre pendant des jours et des jours, t'épier, et cela va te rendre nerveux, peut-être même te pousser à la faute.

— Je ne comprends pas. Si mon fils est libéré, pourquoi les journalistes feraient-ils ça ? demande Alexandra.

— Parce que quoi qu'il arrive, ils tiennent un scoop. Ils vont mener leur propre enquête, creuser sa vie, la disséquer et l'exposer jusqu'à arriver à leur propre conclusion concernant son rôle dans ces meurtres. Ensuite, ils pourront tourner la police en ridicule pour son incompétence ou au contraire jouer la carte de l'injustice flagrante.

Milo a l'air d'avoir avalé un truc particulièrement mauvais.

— Si la police me libère, les journalistes doivent bien se douter que ce n'est pas pour rien !

— Ce n'est pas l'information qui les motive, mais le sensationnalisme.

— Alors, plus rien ne sera jamais pareil ? se plaint Milo.

L'avocat soupire.

— Disons qu'ils s'intéresseront à toi jusqu'au prochain sujet brûlant.

Milo se lève avec un geste de colère qui le fait gémir de douleur.

— J'espère qu'il arrivera vite !

L'avocat et Alexandra se lancent un regard et attendent qu'il se rassoie.

— Pour autant, tu n'es pas totalement sorti d'affaire, Milo, lance l'avocat. Si la police t'a arrêté pour les deux premiers meurtres, c'est qu'elle estimait détenir des éléments à charge suffisants contre toi.

Ce troisième meurtre vient mettre l'édifice de leurs suppositions en péril et c'est pour ça que tu es libéré. Pour autant, les policiers de la PJ de Versailles qui ont repris l'affaire vont continuer à chercher, à explorer de nouvelles pistes, à soulever le moindre caillou pour essayer de te faire plonger.

— Que voulez-vous dire ?

— Pour eux, tu restes coupable. Ils n'ont juste pas trouvé les moyens de le prouver. Ce qui ne veut pas dire qu'ils n'espèrent pas y arriver un jour.

Alexandra se décompose.

— Alors, ils ne vont jamais laisser mon fils reprendre le cours de sa vie ?

— Si… mais il faut savoir que le couperet pourra s'abattre à tout moment.

— Quelle forme de couperet ? demande Milo d'une voix éteinte.

— Un procès.

Milo se tourne vers sa mère pour la prendre par les épaules, alors qu'elle se met à pleurer. C'est lui qui se retrouve en train de la rassurer.

— S'ils n'ont rien trouvé la première fois…

— Tu ne saisis donc pas, Milo ? Ils n'abandonneront jamais !

L'avocat attend qu'Alexandra cesse de pleurer.

— Il faut donc préparer attentivement les déclarations que tu vas faire à la presse.

— Je n'ai pas l'intention de leur parler ! s'offusque Milo.

— Tu n'auras pas le choix.

Il y a tant de choses pour lesquelles il n'a pas eu son mot à dire dernièrement.

— Et merde ! cède-t-il.

Alexandra les écoute parler et bâtir différentes stratégies pour prononcer les bonnes paroles au bon moment. Elle a si peu dormi depuis le meurtre d'Élodie que son visage en porte les stigmates. Elle a déjà perdu deux kilos et ses traits émaciés font peine à voir. Milo a d'ailleurs sursauté en la découvrant face à lui.

Immergée dans sa propre souffrance, écœurée par le fait que son geste n'épargne pas à son fils des conséquences funestes, elle n'entend que d'une oreille les conseils de l'avocat.

— C'est bon pour vous ?

Elle sursaute.

— Pardon ?

Benjamin Valmont soupire.

— Aujourd'hui, les masses hurlantes, manipulées par les réseaux sociaux et les médias sans scrupules, sont capables de faire pencher la balance de la justice. Pensez à Jacqueline Sauvage. Les mots que vous allez prononcer tous les deux à la sortie de cet hôpital sont donc cruciaux pour forger l'avis de l'opinion publique.

Elle approuve.

— Je comprends.

— Nous allons organiser une conférence de presse pour prouver à tout le monde que nous n'avons rien à cacher. Bien au contraire.

Après une heure de recommandations, d'entraînement et de questions pièges pour les tester, l'avocat s'estime satisfait.

Il consulte brièvement son téléphone. Comme il le pensait, la libération de Milo fait la une de l'actualité. Les journalistes sont agglutinés devant l'hôpital. Ils attendent que Milo sorte après avoir lancé des centaines d'hypothèses pour meubler le temps d'antenne imparti.

— Vous êtes prêts ?

Alexandra et Milo suivent l'avocat jusqu'à la sortie. Dès que les portes s'ouvrent, la meute s'éveille et s'agite avec frénésie. Les agents de sûreté de l'hôpital ont établi un périmètre de sécurité et la presse est heureusement parquée derrière des barrières. Les journalistes sont loin, pourtant les premières questions fusent.

Benjamin Valmont se dirige vers eux avec assurance. Milo et Alexandra le suivent un peu en retrait. Toute cette agitation, ce n'est pas leur monde…

En les voyant approcher, les journalistes hurlent tous en même temps. Abasourdi par cette cacophonie, Milo fait un pas en arrière.

L'avocat se place face aux médias et lève les mains pour exiger le silence. Il lit ensuite une brève déclaration pour expliquer que le troisième meurtre, pour lequel Milo avait un alibi indiscutable, comme pour le premier d'ailleurs, a permis de souligner les incohérences de l'enquête occultées jusque-là par la police et qui ont abouti aujourd'hui à cette libération. Il insiste sur le fait que Milo a été relâché sur décision de madame la procureure. Il ajoute que son client, dont la présomption d'innocence a été bafouée par une justice expéditive, est très satisfait que son nom soit lavé de tout soupçon.

Enfin, il se tourne vers la mère et le fils, autorisant ainsi les journalistes à poser leurs questions.

— Madame Léman, êtes-vous heureuse de la libération de votre fils ?

— Bien sûr. J'étais terrorisée de le savoir en prison pour des meurtres qu'il n'avait pas commis et consternée de voir que mon témoignage n'avait pas été pris en compte.

— Êtes-vous vraiment innocent ? demande un type chauve à Milo.

— Oui. Je reconnais avoir un lien avec les trois victimes, mais je n'ai rien à voir avec leur mort.

— Que voulez-vous dire aux parents des trois jeunes filles assassinées ?

— Je leur présente toutes mes condoléances. Je suis vraiment désolé de ce qui est arrivé à leurs filles. Et j'espère que le vrai meurtrier sera arrêté rapidement, afin que justice leur soit rendue.

— Vous en voulez aux policiers qui vous ont accusé à tort ?

Milo marque une pause destinée à canaliser la réponse qui lui vient naturellement et la remplacer par celle que lui a conseillée son avocat.

— Ils ont fait leur travail, même si je regrette qu'ils aient eu de tels a priori me concernant.

— Pensez-vous que le passé de braqueur de votre père et vos actes de délinquance ont contribué à forger leur conviction ?

Préparé à ce genre de propos, Milo prend une inspiration.

— Cela ne m'a pas aidé, c'est certain.

— Pensez-vous avoir un lien avec ce tueur qui ne cible que des jeunes femmes que vous connaissez ?

Effaré par cette éventualité, Milo est envahi par le souvenir d'une voix qui l'encourage à régler ses comptes avec Marion et à l'insulter en bas de chez elle. Il secoue la tête. Les journalistes sont parvenus à le déstabiliser. Benjamin Valmont vole à son secours.

— C'est aux enquêteurs de répondre à cette question. De notre côté, nous voulons croire qu'il s'agit d'un hasard. Dans une commune de cette taille, cela reste de l'ordre du possible.

— Quels sont vos projets ? demande une jolie brune à Milo.

— Je veux me faire oublier, reprendre mes études et avoir une vie tout ce qu'il y a de plus rangée. Loin de la prison et de ses horreurs.

Il ne peut retenir un frisson d'effroi rétrospectif.

— Vous allez demander des dommages contre votre emprisonnement abusif ?

Milo se tourne vers son avocat.

— Je m'en suis bien sorti. Bien mieux que beaucoup. Je n'y suis pas resté très longtemps, mais ce que j'ai eu l'occasion d'y voir et d'y entendre m'a convaincu de ne jamais y retourner.

Benjamin Valmont lève les mains pour signifier la fin de la conférence de presse improvisée.

— Merci à vous tous.

Alexandra entraîne son fils vers sa voiture. L'avocat leur adresse un salut avant de les quitter.

— C'est vrai ce que tu as dit à propos de tes études ?

— Oui. Le peu que j'ai appris pendant mon bac pro m'a sauvé la vie en prison. Je me suis rendu compte que ça m'intéressait vraiment et que j'étais doué.

Presque timide à l'idée de faire des projets normaux alors que la police gardera toujours un œil sur lui, Milo s'arrête. Alexandra sent les larmes lui monter aux yeux.

— Si tu savais… j'ai attendu d'entendre ces mots-là toute ma vie.

— Vous en avez pensé quoi ?

Un silence répond à cette question.

— Il est bien conseillé…, admet Émilie Duquesne.

— Salopards d'avocats ! s'emporte Éric Déguin. On est d'accord sur le fait que la presse vient de changer de camp ?

— La bouille d'ange de Milo et la mine de déterrée de sa mère ont fait des merveilles. C'est de la part d'audience en barre ! plaisante Rafael Dos Santos, un nouveau venu dans l'équipe.

Déguin referme le lien BFM avant de faire face à Paul.

— On oublie Milo Léman pendant un instant. Quelles pistes n'ont pas été couvertes d'après vous ?

— Marion Nobel a été transportée de son domicile jusqu'à l'endroit où elle a été tuée. Or Milo Léman n'a pas de voiture.

Déguin pointe son index vers lui.

— Il y avait un complice, d'après vous ?

— C'est probable, admet à regret Paul.

— Qui dans son entourage possède une voiture ?

— Sa mère…

— Et ?

— Je n'ai pas eu l'occasion de me pencher sérieusement sur la question, soupire Paul.

Éric Déguin demande à Rafael de rechercher l'information sur l'ordinateur le plus proche.

— Comment s'appellent ses potes ?

— Mickaël Beffroy, Samir Bellasem, Pedro de Suza, Ludovic Hermant et Emmanuel Jarry.

Rafael entre les noms dans la base de données.

— Les deux premiers n'ont pas de véhicule immatriculé à leur nom.

Il tape une nouvelle recherche.

— Les deux suivants ont des scooters.

— On est d'accord que transporter une nana évanouie ou récalcitrante sur le siège d'un scooter, c'est la gamelle assurée, lance Éric.

— Ouais, reconnaît Rafael.

Il tape le dernier nom.

— Emmanuel Jarry a une voiture !

Émilie et Éric se rapprochent pour prendre connaissance du document.

— On a peut-être une piste à creuser !

Paul se frotte les tempes.

— Attendez un instant, dit-il en se plaçant devant son ordinateur. Je crois que…

Il entre quelques mots dans la barre de recherche Google.

— Et merde ! Je me souviens, ça y est ! Emmanuel Jarry est mort avant le troisième meurtre.

Rafael se remet à pianoter sur son clavier pour trouver plus d'informations.

— Il a eu un accident de voiture. D'après le rapport de l'expert, la voiture n'a eu aucune défaillance technique. Il l'a lancée contre un arbre.

— Il a conclu à un suicide, déchiffre Émilie par-dessus son épaule.

— Il avait peut-être quelque chose à se reprocher, suggère Paul.

— Où est entreposée la voiture ? Nous devons la faire expertiser, décide Émilie.

Rafael pianote sur son clavier avec enthousiasme avant de se figer.

— Je vous arrête, annonce-t-il. C'est impossible. Le véhicule a été déclaré irréparable. J'ai le certificat de destruction sous les yeux. Il date d'il y a cinq jours.

— Putain de merde !

Éric soupire.

— Passe un coup de fil à la casse. Il y a peut-être eu une erreur.

Paul s'exécute. Quand il raccroche, il affiche une mine sombre.

— Pas d'erreur. L'épave a été compactée puis broyée en même temps qu'une dizaine d'autres. Il ne reste plus rien d'exploitable.

Un silence plein de dépit s'installe.

— De toute façon, ça ne résout pas l'énigme du troisième meurtre, déclare Éric pour relancer la conversation.

— On est vraiment sûr qu'il est lié aux deux autres ? insiste Émilie.

Paul secoue la tête.

— Oui, puisqu'il a abouti à la libération de Milo Léman. Les détails collaient : la méthode, l'arme, le type de fille, le lieu, l'horaire…

— Sauf erreur de ma part, vous n'aviez pas d'images pour les deux premiers meurtres.

— Nuance : personne n'a demandé le blocage des vidéos de surveillance pour Marion Nobel. Quand l'affaire est devenue sérieuse, il n'y avait plus rien à faire pour les récupérer. Pour le second meurtre, seul Milo était visible sur les images, mais l'angle des caméras ne permettait pas d'exclure l'arrivée d'une tierce personne par l'autre côté de la rue.

— Donc, le tueur qui se montre pour le troisième meurtre, ça pourrait être nouveau ?

— Tu penses à quoi, Émilie ?

— À un imitateur qui voulait faire libérer Milo.

— On y a pensé, mais cette idée n'a pas abouti. On a fouillé la maison d'Alexandra Léman de fond en comble et il n'y avait aucun élément compromettant.

Éric se frotte le visage.

— Il faut bien démarrer par quelque chose. C'est ça ou un tueur en série en liberté sur lequel nous n'avons rien. On reprend donc la piste d'un second tueur pour la troisième victime. Et on creuse. On ne lâche rien avant d'avoir identifié nos deux coupables.

— On fait quoi pour Milo Léman ? On abandonne ? demande Paul.

Émilie affiche une moue dubitative.

— Je maintiens que tout tourne autour de lui. Il est lié d'une façon ou d'une autre à ces meurtres.

Déguin approuve.

— On peut toujours le reconvoquer en tant que témoin et écouter ce qu'il a à nous dire…

Milo ouvre les yeux et se redresse. Il vient de percevoir le danger. Plusieurs hommes avancent discrètement vers lui jusqu'à l'encercler. Il tourne sur lui-même, la peur au ventre.

Ils sont six, menés par le gars qui a déjà tenté de le tuer. Son sourire glace Milo, qui n'aura pas deux fois l'opportunité de lui échapper si l'autre a décidé d'en finir. Et c'est encore plus vrai maintenant que Slobodan n'est plus là pour encaisser la majeure partie de la charge.

Milo déglutit. Un des gars fait un pas dans son dos. Milo hurle quand un objet pointu et tranchant s'enfonce dans ses reins. Un deuxième homme se joint au premier et c'est bientôt la curée. La douleur se répand dans tout le corps de Milo, démultipliée à l'infini par le nombre des coups, leur détermination et leur rage. Milo sent son sang couler entre ses doigts. Il perd l'équilibre et tombe à genoux avant de s'effondrer face contre terre.

Milo se redresse d'un bond quand il sent une main toucher son cou.

— Milo ! Milo, tout va bien. Tu es à la maison.

Milo regarde autour de lui. Les murs de sa chambre et non ceux de la cour de Fleury, le visage de sa mère et non celui de l'homme qui a essayé de le tuer.

Il se rallonge en soufflant, son bras passé en travers de son visage.

— Tu faisais un cauchemar.

Il opine faiblement.

— Désolé de t'avoir réveillée.

Elle secoue la tête.

— Je ne dormais pas.

Il retire son bras pour regarder son visage blafard. Il se redresse et pose sa main sur elle.

— M'man, tout va bien maintenant, je suis sorti, tente-t-il pour la réconforter.

Pourtant, plus les jours passent, plus elle a mauvaise mine.

Elle détourne les yeux. Elle ne pourra jamais lui avouer que ce n'est plus son inquiétude pour lui qui la met dans cet état, mais sa conscience qui la ronge.

— Je sais, mais j'ai eu si peur de te perdre, ment-elle.

— Tu regrettes peut-être ta rupture avec Franck ?

Elle détourne les yeux.

— Si tu l'aimes, tu ne dois pas t'empêcher de le voir à cause de moi, maman. On a déjà réussi à cohabiter. On y arrivera encore, pour toi.

Elle essuie une larme.

— Il ne reviendra pas, cette fois.

Elle s'en est assurée. Il soupire.

— Je te dois tellement. Tu as cru en moi, même quand toutes les preuves semblaient contre moi. Et moi, j'ai détruit ta vie. Pardon, m'man.

Elle le laisse la serrer dans ses bras. Quand il la lâche, il voit son expression torturée.

— Qu'y a-t-il ?

— Tu ne penses pas qu'il est temps de me dire la vérité, Milo ? Je l'ai méritée, non ?

— Je ne te cache rien. Je t'ai tout dit. Je ne me souviens pas de la nuit de la disparition de Marion.

Ce n'est pas tout à fait vrai, mais comme il ignore si ce sont des souvenirs ou des inventions, il n'en a parlé à personne.

— Et à force d'entendre les affirmations des policiers, je me suis demandé si je ne souffrais pas d'un trouble de la mémoire concernant Aurélie aussi.

Le visage d'Alexandra se décompose. Milo se récrie.

— Je te jure que je suis sûr d'être parti après qu'elle m'a avoué qu'elle m'avait dragué pour boire à l'œil. Même si j'étais furieux contre elle, je ne l'ai pas frappée. Et puis la troisième fille est morte et j'ai su…

— Su quoi ? s'inquiète Alexandra.

— Que je n'avais rien fait. Si jusque-là, je pouvais imaginer des choses, ce meurtre identique aux autres a achevé de me convaincre que je n'y étais pour rien.

Il lance un regard joyeux vers sa mère qui sent son cœur sombrer.

Le but, faire libérer Milo, est atteint. Soit, mais ce qu'il vient de lui dire ne la rassure pas du tout. La colère a toujours dominé sa vie et même lui en est venu à douter de ce qu'elle aurait pu le pousser à commettre.

Or ce troisième meurtre ne l'absout absolument pas des deux autres puisque c'est elle qui l'a commis pour obtenir sa libération.

Est-ce qu'elle a permis à un tueur de se retrouver en liberté ?

Le puits d'acide que contient son âme et dans lequel elle a cru pouvoir faire disparaître son crime recrache le corps d'Élodie. Son visage défoncé par ses coups lui adresse un sourire édenté terrifiant.

Alexandra devient blême à l'idée de devoir vivre avec cette image tout le reste de sa vie.

— M'man ? Tu vas bien ?

Elle se lève et tangue jusqu'aux toilettes. Agenouillée au-dessus de la cuvette, elle vomit. Milo l'a suivie. Il pose sa main sur son épaule.

L'esprit d'Alexandra s'emballe et saute d'une idée à l'autre. Milo n'est pas sûr de son innocence, et c'est elle qui lui a offert une porte de sortie. Que se passera-t-il s'il commet un nouveau meurtre sous l'emprise de la colère ? Et si dans le meilleur des cas, Milo n'est pas coupable, Alexandra n'a pas songé un seul instant à la réaction du vrai tueur, celui qui a visé volontairement deux jeunes filles avec qui Milo venait d'avoir des rapports intimes. Ce gars, s'il existe, a une dent contre Milo, comme l'ont suggéré si justement les journalistes. Or il sait où habite Milo. Et il ne va pas accepter de porter le chapeau pour ce troisième meurtre sans réagir…

Qu'a-t-elle fait ?

Alexandra se met à sangloter. Le désespoir envahit son cœur, sa raison, son esprit.

— Calme-toi, maman. S'il te plaît. Ça va aller. Chut…

Milo s'assoit près d'elle et la prend contre lui. Il la berce avec douceur. Il s'en veut terriblement de l'avoir mise dans cet état.

— Pardon, m'man. Je te jure que je passerai le reste de ma vie à te rendre heureuse et à te prouver que tu as eu raison de croire en moi.

Milo a réussi à coucher sa mère. Elle vient de s'endormir. Il soupire de soulagement.

Même dans les pires moments : ses frasques à l'école, sa première arrestation, les accusations de meurtres, il ne l'a jamais vue s'effondrer si totalement.

Sa mère a toujours été un roc sur lequel il pouvait se reposer. C'est la seule personne dont il n'a jamais douté. Elle l'aime et c'est pour cela qu'il l'a toujours poussée à bout, pour tester les limites de son amour. Et jusqu'à présent, il ne les a pas encore trouvées.

Il ne peut pas continuer sans elle, or la voir dans cet état le terrifie. Elle craque au moment où il est libéré et où il a décidé de reprendre sa vie en main. Il ne comprend pas son désespoir.

La police n'avait pas grand-chose contre lui la première fois, et malgré ce que l'avocat prétend, elle ne peut pas inventer de nouvelles preuves ou transformer les anciennes, n'est-ce pas ?

Il a la sensation qu'il ne lui a pas répondu ce qu'il devait tout à l'heure. Il ne sait pas ce qu'elle aurait préféré entendre. Coupable ? Innocent ? Il ne parvient plus à savoir ce qu'elle attend de lui.

Il se secoue. Il délire ! Quelle mère préférerait que son enfant soit réellement coupable ?

Milo cherche à se rassurer. Les nerfs de sa mère lâchent parce que la pression de ces derniers jours a été trop intense. S'il ajoute la séparation d'avec Franck, il comprend qu'elle soit au bout du rouleau.

Il retourne dans sa chambre et s'assoit au bord de son lit. Il cache son visage dans ses mains.

Il n'aurait pas dû lui faire part de ses doutes concernant le meurtre d'Aurélie. Il sait que quand il est parti, la jeune fille l'insultait encore. Il revoit son trajet empli de fureur, l'envie de la gifler chevillée au corps. Mais il a tenu bon, il ne lui a pas fait de mal ! Pourtant, à force que la police insiste en cherchant à lui coller cette mort sur le dos, il a commencé à douter de lui-même et de l'emprise que peut avoir la colère sur lui.

Il va lui dire qu'il est sûr de lui, qu'il n'a rien fait, sa mère sera forcément soulagée.

Sauf qu'il reste le vide de la soirée pendant laquelle Marion a disparu…

Milo repense aux accusations qui pèsent sur lui. Il est dégoûté que les enquêteurs aient pu imaginer qu'il l'avait violée à cause de ses putains de textos. Comment Marion a-t-elle pu laisser planer une telle ambiguïté sur ce qu'ils venaient de vivre ? Il a toujours aimé cette fille. Sa mort et ensuite sa trahison l'ont plongé dans une profonde déprime.

Est-ce qu'il aurait pu lui faire du mal sous le coup de l'alcool et de la colère après avoir appris qu'elle avait un mec ?

Milo se revoit devant chez elle en train de la menacer juste avant que son père surprenne leur conversation et qu'elle s'engouffre dans son immeuble en le laissant seul et désespéré. Est-ce qu'à cet instant Milo aurait pu la frapper avec une pierre ? Non. Il voulait juste qu'elle change d'avis. Il aurait pu la rendre heureuse et il espérait qu'elle allait le comprendre.

Est-il retourné chez elle pour lui hurler des injures, comme le prétendent les policiers ? Est-elle descendue pour le faire taire ?

Quand les brumes de son esprit s'écartent, c'est ce dont il croit se souvenir.

Il a quitté ses potes. Il a marché sans but dans les rues. Et après… Lui a-t-il fait du mal ?

Il force sur sa mémoire. Il n'a pas cessé d'avoir des flashes en prison. Et alors qu'il ne s'y attend pas, le voile se déchire brutalement.

Une image le percute de plein fouet. Il se voit dans le rétroviseur d'une voiture qui roule. Il a une tête de déterré et le regard vitreux d'un mec bourré. Dans son dos, il entend un gémissement. Il regarde dans le petit miroir de courtoisie de son pare-soleil et aperçoit Marion. Elle est allongée sur le siège arrière. Ses yeux exorbités par la terreur s'agitent au-dessus du bâillon qui l'empêche de crier. Milo remarque ses mains liées devant elle. Il entend une voix qui l'encourage à se rendormir.

Le choc est tel que le souvenir s'estompe. Milo est horrifié. Merde ! Merde ! Il a fait quelque chose à Marion ! Non ! C'est impossible, il l'aimait ! Ce qu'il a vu en prison n'était donc pas le fruit de son imagination.

Il se passe une main sur la bouche pour étouffer son gémissement d'effroi.

L'image défile une nouvelle fois dans sa tête, indépendamment de sa volonté. Il remarque alors ce qu'il n'a pas vu la première fois. Il n'y a pas de volant devant lui. Il est simple passager. Ce qui est logique vu qu'il n'a pas de voiture.

Milo comprend à cet instant qu'il ne pouvait pas être seul dans ce véhicule et que le conducteur doit absolument être entendu à propos des meurtres de ces trois filles.

Milo n'a pas besoin de réfléchir longtemps : le seul de ses amis à posséder une voiture, c'était Manu.

Manu ?

D'un seul coup, tout s'imbrique dans son esprit : sa mère folle à lier, son envie de plaire à tout le monde qui le rendait si collant et intrusif, sa jalousie envers Milo, son admiration envahissante et toutes ces soirées desquelles il s'éclipsait en même temps que lui.

Manu avait repéré Marion avant lui, mais Milo la lui a soufflée. Manu voulait sortir avec Mylène, qui l'a zappé à cause de Milo. Manu que personne n'a songé à interroger avait une dizaine de bonnes raisons de lui en vouloir. Manu qui a fini par emboutir sa Peugeot contre un arbre.

Milo se lève d'un bloc avant de réaliser qu'il ne peut rien dire. Il se trouvait aussi dans cette voiture, ce qui fait de lui un complice, dans le meilleur des cas. Si ses souvenirs sont exacts, cela veut dire qu'il est bien revenu en bas de chez Marion et qu'il l'a attirée à l'extérieur en hurlant des insanités. Il a participé à son enlèvement et il n'a rien fait pour l'aider quand Manu l'a sortie, terrifiée, de la voiture pour aller la tuer à l'écart et se débarrasser de son corps.

Il a laissé mourir la fille qu'il aimait sans faire un seul geste pour se porter à son secours.

Soudain, il comprend toute la portée des avertissements de son avocat. Que se passera-t-il si la police trouve un moyen de prouver tout ça ? Milo sera de nouveau en première ligne, car le vrai coupable ne pourra plus rien avouer.

Et les indices à sa décharge ? Envolés, car après toutes ces semaines, la voiture de Manu a sûrement été réduite en miettes dans une casse quelconque.

La tête de Milo menace d'exploser alors que les souvenirs reviennent en rafale. Il a tellement de mal à imaginer Manu en tueur impitoyable poussant le vice jusqu'à assassiner des filles proches de Milo pour se venger de lui… Et pourtant…

Milo se rassoit lentement alors que son esprit bute soudain sur un écueil majeur. Manu est mort après le deuxième meurtre. Il ne peut matériellement pas avoir tué la troisième fille.

Et pourtant, les policiers ont reconnu la méthode. Les détails devaient par conséquent être identiques. Des détails pourtant méconnus du public.

Par exemple, Milo sait que la police n'a jamais révélé que les filles ont été tuées avec des pierres. S'il est au courant, c'est parce que Franck a balancé cette indiscrétion à sa mère pour la dégoûter de son propre fils. Elle le lui a dit au parloir de Fleury.

Alors qui aurait pu faire ça ? Qui aurait pu avoir accès à des informations aussi sensibles ? Et dans quel intérêt cet individu a-t-il agi ?

En tout cas, Milo lui doit beaucoup puisqu'il a été libéré grâce à lui. Même si tuer une personne pour en faire innocenter une autre lui paraît désespéré.

Désespéré comme…

Soudain, Milo lève des yeux épouvantés vers le couloir, vers la chambre de sa mère qui n'est plus que l'ombre d'elle-même, alors que l'évidence vient de s'imposer à lui. Il sursaute, car elle se tient dans l'encadrement de la porte.

Elle n'évite pas son regard, bien au contraire. Il y a une telle détermination dans sa posture.

— Pourquoi ? demande-t-il avec incrédulité.

— Pour que tu sortes de prison.

— Mais…

— Ça a fonctionné, alors ne te préoccupe pas des conséquences, le coupe-t-elle.

Milo sent des larmes de honte couler sur ses joues. Il cache son visage dans ses mains.

— C'est de ma faute. Tout est de ma faute !

Elle s'approche et caresse ses cheveux.

— Non. C'est de la leur. Je les ai laissés te faire du mal quand tu étais petit. Je ne pouvais pas les regarder t'anéantir encore, pas après tout ce qu'ils nous ont déjà fait.

Elle pose sa main sous son menton pour l'obliger à la regarder.

— J'aurais préféré qu'il y ait une autre façon de leur faire comprendre qu'ils se trompent sur toi. Je te le jure ! Ma culpabilité me ronge chaque seconde qui passe, mais ils ne m'ont pas laissé le choix. Et je veux que tu saches que je recommencerai autant de fois que nécessaire pour te préserver d'eux. Tu entends, Milo ?

Les épaules de Milo sont secouées par des sanglots. Elle essuie ses joues avant de serrer sa tête contre son ventre.

Remerciements

Ce livre a bénéficié d'une marraine, la bonne fée en or massif. En l'occurrence, la fameuse marraine est un homme, mais vous allez faire comme si vous imaginiez Olivier Norek avec une robe en voile, des cheveux longs remontés en chignon et une baguette magique à la main. Si, si…

J'étais en train de discuter avec lui quand les mots que nous échangions m'ont fourni l'idée de base du roman, un axe que je n'avais pas encore eu l'occasion d'explorer et qui m'a offert de nouvelles perspectives.

Le projet tournait en boucle dans ma tête, s'agitait, commençait à se ramifier, à réclamer plus d'espace, et il est devenu évident que je ne pouvais pas le situer aux États-Unis, contrairement à mes autres livres. Il avait besoin d'une réalité forte, ancrée dans le quotidien pour atteindre ses cibles.

Encore une fois, Olivier Norek a été là pour répondre à toutes mes questions sur la police, les procédures, la prison… Il m'a écoutée, conseillée, aiguillée dans de nouvelles directions quand il le fallait. Si le livre contient des erreurs à ce niveau, elles sont de mon fait ou liées aux besoins de mon histoire.

Alors, merci Olivier ! Tu es « *just perfect* en marraine la bonne fée » !

Merci à Valérie, croisée par hasard sur le salon de Mennecy et qui a répondu à mes questions sur le parloir de Fleury-Mérogis.

Merci à Christophe pour les informations sur les caméras de surveillance.

Merci à mes conseillers jeunesse Gabriel, Samir et Kévin qui m'ont fourni des réponses concernant les musiques, les jeux, les rapports avec la police et le langage, même si pour certaines raisons d'accessibilité au commun des mortels, je n'ai pas appliqué tous vos conseils !

Merci à Glenn Tavennec qui m'a encore une fois accordé une confiance et une liberté totales dans mes idées et à toute l'équipe Robert Laffont pour son soutien et son professionnalisme.

Comme à chaque fois, je remercie Martine, Fabienne, Marilyne, Jacques, André et Patrice, les primo-lecteurs qui répondent toujours présent et dont les conseils précieux et le soutien indéfectible ne faiblissent jamais.

Je pense aussi à un petit nouveau dans l'aventure. Yvan Fauth, je te remercie pour le temps que tu as pris pour lire ce livre et pour tous les échanges constructifs et émouvants qui ont suivi.

Je pense aussi à vous, chers lecteurs, chers libraires et blogueurs. J'espère que mon changement de cap ne vous aura pas trop déstabilisés !

Enfin, je me tourne vers toi, mon fils, qui m'as fait l'immense honneur de préfacer ce livre. Notre combat pour que tu réussisses ta vie ne s'arrêtera jamais et tu me trouveras toujours à tes côtés pour repousser les obstacles et chasser les nuages.

Cet ouvrage a été composé et mis en pages
par ÉTIANNE COMPOSITION
à Montrouge.

Imprimé en France par CPI
en septembre 2019
N° d'impression : 3034914

S29218/01